REBELDES

RONY MEISLER e SERGIO PUGLIESE

TÊM ASAS

"A Reserva transcende a roupa. Transcende a moda. Transcende a comunicação. A Reserva transcende o físico porque é movida pela fé. A fé dos sócios se reflete na cultura da empresa e cria um comprometimento com o futuro e com a verdade como poucas empresas no mundo."
RONY RODRIGUES, fundador da Box1824

"Rony Meisler é, sem dúvida, um dos maiores empreendedores da nova economia do Brasil. E aí está a importância deste livro. O conto de fadas da Reserva é muito mais que inspiração. É um documento histórico – um relato dessa gigantesca transformação na consciência empreendedora. Sou fã e sempre serei."
TIAGO MATTOS, fundador da Perestroika

"O livro conta a história de uma das marcas que revolucionaram a moda no Brasil através da inovação e da preocupação em fazer o bem à comunidade. Em sua história, Rony mostra que sorte nada mais é do que a união entre oportunidade e competência."
GUSTAVO CAETANO, CEO da Samba Tech
e autor do livro *Pense simples*

"A história do Rony e da Reserva é, infelizmente, um caso raro no Brasil. Une ambição, inovação e uma aversão genuína à chatice."
LUCAS AMORIM, diretor de redação da revista *Exame*

"Diferente de outras marcas nacionais e internacionais, nas quais meu foco se concentra nos produtos, a Reserva enche meus olhos também com suas ações sociais, a organicidade da comunicação e do posicionamento on-line, as inovações constantes e um modelo contemporâneo e eficaz de gestão. Já até pedi um estágio pro Rony. Vai que ele topa!"
RICARDO CRUZ, diretor de redação da revista *GQ Brasil*

"Existem as marcas conhecidas e as marcas que têm significado. As primeiras não têm alma e o esforço para realizar negócios é enorme e depende de muito investimento com resultados apenas razoáveis. As de significado entram na mente e no coração dos consumidores e criam lealdade, o que garante crescimento e resultados. Adivinhe em qual categoria está a Reserva?"
JOSÉ GALLÓ, CEO da Renner

"É impossível não reconhecer o talento do Rony e a meteórica ascensão da Reserva no mercado brasileiro de moda. A energia e o espírito empreendedor contagiam e, sem dúvida, inspiram a renovação tão necessária dessa indústria."
ROBERTO MARTINI, fundador da CUBO.CC e da FLAG

"A Reserva é prova viva de que uma empresa pode triunfar levando-se pelo coração. Tenho certeza de que os leitores irão tirar exemplos maravilhosos para colocar em prática e aprimorar seu negócio."
LUIZA HELENA TRAJANO, presidente do Conselho de Administração do Magalu

"Empreender em um país como o Brasil não é fácil. É mais fácil você dar errado do que dar certo. A Reserva tem esse mérito de ter tido uma boa ideia, ter criado processos, gestão, criatividade, ética, bom senso. Tudo isso em doses muito corretas, para que esse ciclo empreendedor desse certo."
LUCIANO HUCK, empresário e apresentador

"Num mercado conhecido por gente chata e esnobe, Rony e seus sócios conseguiram dar vida a uma das mais impressionantes empresas brasileiras do novo milênio! A Reserva já reinventou a moda nacional e está reinventando o modelo tradicional de gestão que há anos conhecemos. Baita inspiração para qualquer empreendedor, dos mais novos aos mais experientes!"
EDUARDO MENDES, cofundador e CEO do Hotel Urbano

"Rony e os demais cofundadores revolucionaram a indústria de moda brasileira, levando a voz e a alma do carioca para a moda masculina. Não considero a Reserva uma marca de roupa: considero-a uma startup de comunicação, sendo a roupa apenas o veículo pelo qual eles comunicam seu propósito. Eles estão em constante evolução, sempre inovando na forma de distribuir e criar seus produtos. Todo empreendedor/executivo deveria fazer mais do que ler este livro, deveria estudá-lo."
TALLIS GOMES, fundador da Easy Taxi e CEO e fundador da Singu

Prefácio **LUIZA HELENA TRAJANO** 9

Apresentação da nova edição 11

Introdução 14

1 O EMPREENDEDOR 17
Família 19
Nasce um empreendedor 31

2 A RESERVA 33
O começo 35
Crescendo e aprendendo 48
Profissionalização precoce 73
Novos negócios 95

3 FILOSOFIA RESERVA 129
A cultura Reserva 131
Filosofia comercial 149
Filosofia de marketing & comunicação 195
Filosofia de produto 266
Filosofia logística 283
Filosofia de gestão 295
Filosofia de fontes humanas 311
Filosofia financeira 331
As sementes que plantamos 336

4 CAPÍTULO BÔNUS 348
Muito obrigado! 363

Para Nick, Tom, Chiara e todos(as) os(as) filhos(as) de todos(as) aqueles(as) que trabalham ou trabalharam no Grupo. Por emprestarem todos os dias seus papais e mamães para, juntos, colocarmos de pé este sonho chamado Reserva.

PREFÁCIO

Sempre admirei pessoas que pensam diferente e à frente de seu tempo, seja em que área for: no esporte, na educação, na política; mas especialmente nos negócios é preciso coragem para agir contra a corrente e quebrar os paradigmas vigentes.

Comecei a reparar que estava surgindo um empreendedor diferenciado ao ver as notícias da Reserva. Depois, descobri que ele é filho de um executivo com o qual conversava regularmente, o Luiz Meisler, que passou a me relatar com entusiasmo as novidades que o Rony implantava em seu negócio.

Acompanhando a história da Reserva, percebi que o Rony e seu sócio estavam destinados não só ao sucesso, mas a fazer a diferença no mundo empresarial e na vida das pessoas.

Uma gestão inovadora e moderna a princípio causa certo desconforto e raramente é entendida de bate-pronto. A resistência das pessoas é grande porque a inovação apresenta novidades e, em geral, mexe com espaços preestabelecidos; imagino o que o Rony deve ter passado. Porém, quando temos certeza da maneira como pretendemos atingir um objetivo e sabemos aonde queremos chegar, somos determinados e conseguimos fazer o novo de uma forma exemplar.

A comunicação irreverente e de impacto para seu público, um layout inovador nos pontos de venda, a possibilidade de cocriação, que dialoga com seus consumidores, e um relacionamento de maneira jovem e moderna com a equipe da Reserva são demonstrações de que é possível fazer diferente, sair da zona de conforto e surpreender.

Compreender que o lucro é muito importante, mas que precisa vir conjugado com propósito e inovação, é indispensável. Cuidar do meio ambiente e das pessoas, seja um cliente ou um colaborador, também é outro dos atributos que enxergo na Reserva. Isso prova que uma empresa pode triunfar levando-se pelo coração, e vislumbro um grande legado que a Reserva deixará, pois duas coisas fazem a diferença em todos esses relacionamentos: inovação e atendimento, e essas duas características estão presentes no DNA da empresa.

Tenho certeza de que irão aproveitar a leitura deste livro e espero que possam tirar exemplos maravilhosos para colocar em prática e aprimorar seu negócio. Toda empresa, não importa seu segmento, depende e vive da venda de produtos ou serviços a um consumidor final. E o que deve nos motivar a acordar todos os dias é saber que podemos fazer a diferença positiva na vida dessa pessoa.

LUIZA HELENA TRAJANO
Presidente do Conselho de Administração do Magalu

APRESENTAÇÃO DA NOVA EDIÇÃO

Quando este livro foi lançado pela primeira vez em 2017 não imaginávamos o impacto que ele traria ao ambiente de negócios brasileiro.

A princípio, *Rebeldes têm Asas* não seria editado comercialmente. Ele serviria apenas para distribuição interna na Reserva, aos colaboradores(as) e aos parceiros(as).

Comecei a escrevê-lo dentro de um avião, quando voltava do enterro de meu avô paterno, Benjamin Meisler, em Israel. Meu avô chegou ao Brasil no final da década de 1940. Refugiado e sobrevivente do holocausto, aqui se estabeleceu como comerciante e formou família. Acabou quebrando e foi morar em Israel. Ele se realizava através da prosperidade de nosso grupo de marcas.

Recebemos o convite para distribuir o livro quando ele já estava escrito. O lançamos como o mais importante de nossos produtos. E ele foi mesmo. Rapidamente se tornou um best-seller, ainda na pré-venda, e vendeu centenas de milhares de cópias.

O sucesso do livro fez com que a nossa forma irreverente, calorosa, digital e mais consciente de fazer e pensar os negócios se tornasse uma relevante referência em nosso país.

Depois dele tive a honra de andar por todo o Brasil dando palestras e mentorias para empresas e profissionais dos quais até então eu era fã e assim acredito que pude ajudá-los(as) a também descobrirem seus propósitos para, a partir daí, reinventarem seus negócios.

Assim sendo, RTA se tornou muito mais do que um registro dos dez primeiros anos da Reserva. Ele se tornou um movimento por uma iniciativa privada mais consciente e justa socioambientalmente.

A primeira edição de *Rebeldes têm Asas* conta a história de como com muito pouco dinheiro transformamos os inúmeros limões que a vida nos deu em limonadas.

O livro talvez tenha sido para muitas empresas a prova real de que, quando é assim, também vendemos mais por consequência. A maior parte de nós é boa e se pudermos, através de nossas escolhas de consumo, também construirmos um país melhor e mais justo, faremos a escolha pelo o que é o certo. Marcas conscientes não ganham clientes, ganham seguidores(as)/fãs de marca.

Eu escrevia meu segundo livro quando chegou a covid-19, com certeza o maior desafio pessoal e profissional de nossa geração.

No primeiro dia do home office a Anny, minha esposa, perguntou se eu achava que quebraríamos. Respondi que "Não", com "N" maiúsculo, e a lembrei da história do meu avô, novamente ele, que aos 8 anos viu sua família ser assassinada na Polônia e fugiu para a floresta, onde foi encontrado e alistado pelo exército russo para invadir a Alemanha nazista. Ele sobreviveu e morreu aos 95 anos se dizendo o "homem mais rico do mundo" pelo fato de que tinha a melhor família do mundo. O que era a covid-19 perto daquilo que ele viveu?

A covid-19 é indubitavelmente o maior limão de nossas vidas. Por isso concluí que nenhum novo livro poderia causar impacto mais positivo do que uma nova edição do RTA. Mas para isso ele precisava ser revisitado.

Dito isso, a missão deste revisitado livro é ser uma ferramenta para empreendedores(as) que neste momento difícil de mundo possam estar com medo ou inseguros com relação aos seus próximos passos. Portanto, esta edição é mais objetiva e focada naquilo que mais interessa: nossa filosofia de negócios contada através dos exemplos práticos, erros e acertos, de nosso grupo de marcas pré, durante e pós-covid-19.

Um *playbook* a ser seguido por pessoas e empresas em, se Deus quiser, uma sociedade regrada por um capitalismo mais consciente e, de certa forma, pós-apocalíptico.

De um lado, uma iniciativa privada que entende o lucro para além da questão financeira porque viu na prática as consequências para a vida e para os negócios em um mundo restrito às paredes de nossas casas. E de outro os(as) consumidores(as) que, imbuídos da mesma experiência ruim, de agora em diante farão escolhas mais conscientes de consumo. Nesse novo mundo não haverá espaço para o "jeitinho" e para o "meio termo".

Quando escrevi RTA esse novo mundo era apenas uma utopia filosófica de um jovem empreendedor e escritor. Hoje, olhando para a metade cheia do copo, ele é a realidade.

E aí?! Em que mundo você vai escolher viver?

INTRODUÇÃO

Crescemos no Brasil da década de 1990.

As empresas que admirávamos e para as quais trabalhávamos em nossa juventude tinham no ganho financeiro seu único objetivo – lucro a qualquer custo. Elas ignoravam as minorias, destruíam culturas, exploravam os mais pobres e envenenavam o planeta.

A desculpa para isso? "Cuidar do planeta é responsabilidade do Estado!"

Como consequência, a nossa geração sofreu uma verdadeira lavagem cerebral profissional: "Forme-se na profissão mais rentável, trabalhe 24 horas por dia, ganhe muito dinheiro, coloque-o no banco e faça-o render o suficiente para pagar sua aposentadoria no futuro."

Sempre pensei que, se aquilo continuasse, não haveria aposentadoria, pelo simples fato de que não haveria futuro. Por isso, jamais topei jogar esse jogo e sempre acreditei muito mais nas pessoas do que nos negócios.

Para nós, a Reserva sempre foi um excitante experimento sobre como fazer diferente no negócio da moda.

Uma empresa pode prosperar caso seja guiada pela afetividade e não pela lucratividade? Como seria se, além da venda de seus produtos, ela também fosse responsável pela construção de um mundo melhor? E se seus produtos fossem uma criação conjunta com seus consumidores? E se, em vez de apenas fazer propaganda, ela dialogasse com seus consumidores sobre questões relevantes para a sociedade, de uma forma despretensiosa e divertida?

Jamais acreditamos no modelo de negócios que nos obrigava a enriquecer com a culpa por estarmos destruindo a humanidade. Boa parte do nosso tesão sempre morou no desafio ao *status quo*, com o objetivo de provar ao mundo que existe um novo – e melhor – estilo de se pensar e fazer negócios.

Se queremos construir um negócio que estará no mundo daqui a cem anos, temos que, antes, trabalhar para ter certeza de que haverá um mundo daqui a cem anos.

Foram necessários dez anos para que escrevêssemos este livro porque tínhamos de provar a nós mesmos que poderíamos quebrar as regras do jogo. A Reserva e seus mais de 1.500 funcionários já possuem hoje provas suficientes de que quando trabalhamos com amor para a construção de um mundo melhor, também construímos um maior e melhor negócio – por consequência, e não por causa.

Steve Jobs dizia que, quando olhamos para o passado, tudo faz sentido, e que por isso, durante a vida, devemos confiar no fato de que nada acontece por acaso. Uma enorme verdade.

Seria impossível escrever sobre a nossa história sem que se escrevesse sobre como foi a minha vida antes da Reserva, porque uma coisa tem absolutamente tudo a ver com a outra.

Por isso dividimos o livro em três partes: O empreendedor (minha história de vida), A Reserva (história da marca) e Filosofia Reserva (nossa cultura de negócios).

Boa leitura!

RONY MEISLER

1

O EMPREENDEDOR

📷 **COMPARTILHE ESTA IDEIA!**

—

"QUANDO OLHAMOS PARA O PASSADO, TUDO FAZ SENTIDO. PORTANTO, DURANTE NOSSA VIDA DEVEMOS CONFIAR NO FATO DE QUE NADA ACONTECE POR ACASO."

—

STEVE JOBS

@RESERVA

FAMÍLIA

"**S**enhores passageiros, o nosso tempo estimado de voo até o Rio de Janeiro é de doze horas."

O avião decolou no aeroporto de Heathrow, em Londres, de volta para o Brasil. Lá embaixo, o azul do oceano. Ao lado, Deco, meu irmão, estava mergulhado em um sono que, aparentemente, iria continuar até o final da viagem.

Estamos voltando para o Brasil após o sepultamento do meu avô paterno, Benjamin Meisler, em Israel.

Emocionado, lembrei das inúmeras vezes em que falamos ao telefone. Meu avô era comerciante e se empolgava muito quando eu contava a ele sobre a jornada da Reserva no varejo. A cada nova loja aberta, vibrava como se fosse ele a inaugurá-la. "Rony, você é neto do Benjamin Meisler", dizia, orgulhoso.

Acredito que meu avô enxergava na nossa trajetória a história que ele próprio, por questões da vida, não conseguiu seguir.

Por isso, pela primeira vez ao longo desses curtos porém intensos dez anos, tive vontade de contar detalhes sobre essa trajetória.

📷 **COMPARTILHE ESTA IDEIA!**

—

"AOS FILHOS, DEVEMOS DAR ASAS PARA VOAR E RAÍZES PARA QUE SAIBAM SEMPRE PARA ONDE VOLTAR."

—

GOETHE

@RESERVA

Incline a poltrona, pegue um café quentinho ou uma cerveja gelada e venha comigo nesta viagem, mas aperte o cinto porque não faltará emoção.

ANTES DO COMEÇO

"Rony, você é neto do Benjamin", costumava dizer meu avô. E na verdade é isso mesmo. Sou neto do Benjamin e da Rosa, e do José e da Sarita, sou filho do Luiz e da Diana, irmão do Deco, marido da Anny, pai do Nick, do Tom e da Chiara e feliz amigo de muita gente que você vai conhecer ao longo destas páginas. Sou o que as pessoas me ajudaram a ser.

Benjamin Meisler nasceu na Polônia e levava uma vida de classe média alta até os 8 anos, quando começou a Segunda Guerra Mundial.

Pouco antes de o conflito estourar, o pai dele veio trabalhar no Brasil. Quando o horror começou, mataram sua mãe e seus irmãos. Benjamin ficou só e sofreu um bocado: revirou lixo, passou fome. Sempre que nos contava isso, a história era interrompida por um choro profundo.

Refugiado na floresta, foi encontrado por soldados russos que o alistaram e o armaram para combater os nazistas. Durante a guerra seus pés congelaram, e para evitar o desconforto usava sapatos com numeração até cinco vezes maior do que o seu tamanho. Também carregava três balas na perna.

No fim da guerra foi para a Itália, onde conheceu minha avó Rosa. Ela e sua irmã gêmea milagrosamente sobreviveram ao holocausto sem passar por Josef Mengele, genocida nazista conhecido por fazer experiências de troca de órgãos com irmãos gêmeos judeus.

Eles se casaram e vieram de navio para o Brasil. Chegaram no dia 24 de abril de 1946, apenas com a roupa do corpo e sem saber português, mas logo tiveram três filhos: Clara, Sérgio e Luiz, meu pai.

Meu avô começou como mascate e acabou como um grande comerciante da Saara, associação de comerciantes do Centro do Rio. Chegou a ter cinco lojas, e, entre diversas inovações, foi o primeiro importador de calças jeans Lee e de relógios Seiko para o Brasil.

Mesmo em tempos de paz, tinha inúmeros traumas e cacoetes de guerra. Isso o transformou numa pessoa explosiva, mas ao mesmo tempo divertida. Os amigos o apelidaram, carinhosamente, de "Benjamin Maluco".

Apesar de "maluco", era excelente vendedor. Por outro lado, mesmo sendo excelente vendedor, era péssimo gestor. E quebrou. Perderam tudo e a família inteira decidiu se mudar para Israel, onde recomeçariam a vida.

Luiz já tinha 18 anos e era um menino bem-nascido, nada lhe faltava. Ele havia começado a namorar minha mãe, Diana, quando tinha 14 anos e ela, 13. Quando foi para Israel, ela o acompanhou.

Em Netanya, minha mãe passou a estudar hebraico, preparando-se para a faculdade de Arquitetura, e meu pai carregava malas em hotéis para pagar seus estudos na faculdade de Engenharia.

Um ano depois se casaram no salão de festas do hotel onde meu pai trabalhava. A festa foi um presente dos donos do estabelecimento.

Meu avô materno se chamava José Fischberg e era comerciante de móveis. Russo de nascença, mudou-se para o Brasil com 2 anos. Minha avó, Sarita, é brasileira. Eles tiveram dois filhos: Élio e Diana.

Quando José ficou doente, minha mãe abandonou a faculdade para que ela e meu pai, que já havia se formado, voltassem ao Brasil para passar seus últimos momentos com ele. Meu avô faleceu antes de meu nascimento, mas minha mãe diz que ele está presente em minha personalidade forte.

Com a avó Sarita aconteceu o contrário. Dos quatro avós, foi a única que pôde estar presente em minha vida, e deu conta disso com excelência: sempre fomos muito ligados.

Pedagoga de formação e professora de Geografia e História, ela nos ensinou a gostar de aprender e estudar. Era na casa dela, em Laranjeiras, que ficávamos quando nossos pais trabalhavam ou simplesmente quando queríamos paz nos fins de semana.

Vovó sempre foi uma mulher à frente de seu tempo. Ativista da comunidade judaica, foi diretora do Clube Hebraica e vice-presidente da Federação Israelita do Rio de Janeiro. Foi com ela que aprendi sobre as perseguições sofridas pelo povo judeu e que deveríamos estar sempre atentos para que jamais voltassem a acontecer.

Sarita trabalhou até os 90 anos e, no momento em que escrevo este livro, está com 93 e curte a vida adoidado ao lado de seus dois filhos, cinco netos e oito bisnetos.

Com a morte do meu avô José, meus pais moraram na casa da avó Sarita por um tempo. Foi lá que meu pai começou sua vida profissional como trainee na Arthur Andersen (atual Accenture).

Também foi de lá que meus pais se dirigiram à maternidade São José, no Humaitá, no dia 4 de março de 1981, uma Quarta-Feira de Cinzas, para que eu nascesse.

RAÍZES

O nascimento de André Meisler, o Deco, meu irmão, é a minha primeira memória. É como se a minha vida tivesse começado junto com a dele. Até o final da infância dividimos o quarto, o que foi fundamental para a nossa vida,

Meu avô, o adorável "Benjamin Maluco".

Minha mãe, Diana, eu, meu pai, Luiz, e meu irmão Deco. Sem eles, não sou.

Com a palavra, Diana Meisler. Aponte a câmera do seu celular para a imagem e assista ao vídeo.

Com a palavra, Luiz Meisler. Aponte a câmera do seu celular para a imagem e assista ao vídeo.

porque temos personalidades diferentes. Eu era organizado, ele era bagunceiro. Eu falava muito, ele pouco. Eu era do videogame, ele da música. Eu era explosivo, ele calmíssimo. Mas a convivência foi maravilhosa, nos amamos profundamente.

Após o meu nascimento, minha mãe decidiu que seria empreendedora – uma empreendedora da família. Não há caminho mais difícil, cheio de dilemas e desafios do que o da maternidade. Minha mãe é a maior empreendedora que conheço.

Ela nos ensinou o valor do esforço; que o importante era tentar sempre, e que vencer seria uma possível consequência. O que importava para ela era que tivéssemos nos esforçado ao máximo por aquilo que queríamos. Na vida e no trabalho.

Se meu pai sempre foi a cabeça da relação, minha mãe, por sua vez, foi o pescoço, orientando sua direção. O papel da minha mãe na carreira profissional do meu pai foi de protagonismo. Eles sempre foram grandes parceiros. Durante a semana, enquanto meu pai trabalhava, minha mãe nos preparava para a vida.

Lembro-me de que dormíamos juntos, eu, ela e o Deco na cama deles. Tínhamos horário para desligar a televisão e, juntos, conversávamos e rezávamos. Foi a forma que ela encontrou para que, por alguns minutos todos os dias, fôssemos apenas nós três.

Também foi a forma que ela encontrou de nos ensinar o valor de nossa religião e a fazer o bem sem esperar retribuição. Naqueles minutos, não rezávamos por nós apenas: falávamos sobre os problemas do mundo e dos amigos, e sobre como poderíamos ajudá-los.

Minha mãe me ensinou a estudar. Até hoje, estudo em voz alta e faço anotações nos livros. Ela me explicou que deveríamos encontrar o caminho para que aquele conhecimento nos despertasse a atenção. Na proporção em que aquilo nos interessasse, melhor compreenderíamos e mais facilmente conseguiríamos aplicá-lo.

Minha mãe é de longe a melhor pessoa que eu conheço. Não possui um pingo sequer de maldade no coração. Ela foi, é e sempre será a melhor mãe do mundo, tão boa que eu jamais seria capaz de imaginar que ela conseguiria ser melhor avó do que foi mãe. E mais uma vez ela me surpreendeu.

Meu pai é enorme. Tem uma capacidade gigantesca de se fazer presente, mesmo estando ausente. Sempre foi executivo e por isso viajava muito, mas a qualidade da sua presença supria com sobras a pouca quantidade.

Papai foi uma criança rica que perdeu tudo na adolescência. Ele garante que foi a melhor coisa que poderia ter acontecido, pois impediu que se tornasse um filhinho de papai mimado.

O sábado era o dia dele! Saíamos cedo para jogar futebol no Clube Hebraica, depois fazíamos algum programa e voltávamos para casa a tempo de assistir juntos ao Chacrinha. À noite ele preparava nosso prato preferido: arroz com ovo e tomate. Até hoje lembro do cheiro da comida.

Ele era tão paizão que certa vez, no prédio onde morávamos, no Flamengo, foi eleito "A mãe do ano".

Aos domingos, era dia de clube de novo. Eu o via jogar futebol com os amigos e depois ficávamos o dia inteiro na piscina.

Papai sempre foi ligado à tecnologia. Fez Engenharia de Produção em Israel, e, já no Brasil, começou na Arthur Andersen, de onde saiu para montar sua consultoria, a Result, que, anos depois, vendeu para a PricewaterhouseCoopers, atual PwC, tornando-se o principal executivo da companhia.

Após anos de carreira na área da tecnologia da informação, foi convidado para ser diretor das Lojas Americanas e aceitou o desafio de aprender sobre varejo. Ele nunca escondeu que aquela havia sido uma de suas piores decisões profissionais.

Foi a única vez na vida que me lembro de ver meu pai infeliz no trabalho. Ele odiava aquilo e, numa reestruturação da empresa, acabou saindo.

Aquilo o chateou não mais do que por uma semana. Lembro-me de ter me orgulhado profundamente quando contou que recomeçaria sua carreira na área de onde jamais deveria ter saído: a tecnologia.

Ele dizia: "Pai de família, quando desempregado, não tem o direito de escolher emprego. Pega a primeira oportunidade que aparece, por menor que seja, bota dinheiro em casa e depois a transforma em uma grande oportunidade."

Eu pensava que, para quem já havia recomeçado tantas vezes na vida, aquilo era fichinha. E foi: meu pai liderou o início de um novo departamento de consultoria dentro da Oracle, multinacional de software americana. Em um ano, era CEO para o Brasil e, em mais três, para a América Latina.

Acredito que a história profissional de meu pai se guiou por um mantra que ele sempre repetiu para nós: "Se você fizer o que gosta, a prosperidade será consequência. Quem trabalha só pelo dinheiro acaba pobre, de dinheiro ou de espírito."

Outra do meu pai: no sufoco ou na bonança, jamais nos contou quanto ganhava ou quanto tinha de dinheiro. Quando perguntávamos, era curto e grosso: "Não interessa."

Hoje, também pai, eu o compreendo perfeitamente. Se soubéssemos que faltava dinheiro, teríamos medo de errar e não arriscaríamos. Por outro lado, se soubéssemos que o dinheiro sobrava, poderíamos nos acomodar. Não saber quanto tínhamos nos incentivou a correr atrás do próprio dinheiro em vez de confiar no dinheiro dele.

O sucesso profissional de meu pai gerava em mim um sentimento conflituoso. Antes de ser o "Rony da Reserva", eu era "o filho do Luiz". Era um misto de estímulo e pressão para que meus pais sentissem orgulho de mim.

Quando a Reserva cresceu, em um aniversário do meu pai eu procurei a PwC e comprei a marca Result de volta – ela havia sido desativada pela empresa após a terem comprado do meu pai.

Coloquei o contrato num envelope, junto com o desenho da marca feito por ele trinta anos antes, e entreguei a ele. Para mim, foi como se estivesse lhe agradecendo por tudo.

SEM ELES, NÃO SOU

Aos 15 anos, numa viagem para um festival de música, em São Paulo, conheci uma menina linda.

De olhos grandes, cor de mel, cabelo enrolado castanho-escuro e com um sorriso do tamanho do universo, Anny Burdman era dois anos mais nova que eu.

Fomos melhores amigos durante onze anos, daqueles amigos confidentes que se falam por horas a fio, madrugada adentro, ao telefone. A vantagem disso é que nos conhecemos profundamente. A desvantagem é que sabemos tudo o que nós dois fizemos antes de ficarmos juntos.

Quando eu tinha 26 anos e ela 24, nos beijamos pela primeira vez – um beijo que já beijávamos há muito tempo, mesmo sem beijar.

Dois anos depois, nós nos casamos, no dia 4 de abril de 2009. Posso dizer que casar com Anny foi meu primeiro encontro com Deus, eu e ela ali debaixo da tenda matrimonial judaica, a *chuppah*.

Até o casamento, minha vida já havia sido incrível, mas a verdade é que, a partir dali, nos tornamos imbatíveis e invencíveis.

Depois virei pai. Não costumo falar dos meus filhos publicamente, mas aqui faço uma exceção necessária. Um dia eles lerão este livro e saberão como tudo em nossa trajetória profissional foi difícil e que só foi possível porque fomos movidos pelo amor. Também terão aqui o meu testemunho de que foram eles que me ensinaram tudo o que sei sobre a vida e as pessoas, e não eu a eles.

Nick nasceu em 18 de novembro de 2012; Tom, em 2 de janeiro de 2015; e a Chiara, em 17 de março de 2017. Até então, eu achava que os nascimentos deles seriam os melhores momentos da minha vida, mas eu estava errado: os dias mais emocionantes da minha vida foram o dia 3 de janeiro de 2015, quando Nick conheceu Tom, e o dia 17 de março de 2017, quando os dois conheceram a Chiara. Nos momentos em que, sentados na cama com a Anny, cada um deles pegou a irmã no colo, o tempo parou. Ali começava exatamente aquilo que desejávamos para eles: amor e união. Quanto mais unidos e amigos, mais fortes serão.

Não sei mais onde eu termino e eles começam – e vice-versa. Eu sou cinco e por isso sou tão forte.

Com Anny, em 2009,
no nosso casamento.
Sem ela, não sou.

📷 **COMPARTILHE ESTA IDEIA!**

—

"EU NUNCA DEIXEI MINHA ESCOLARIDADE INTERFERIR NA MINHA EDUCAÇÃO."

—

MARK TWAIN

@RESERVA

NASCE UM EMPREENDEDOR

Aos 12 anos, estirei um lençol na calçada do meu prédio para vender gibis e livros antigos. Ali começou um processo que repeti duas ou três vezes por semana, durante dois anos. Com isso acumulei grana suficiente para comprar um monte de coisas bacanas.

Durante a infância e a adolescência, abria a despensa do banheiro, pegava xampus, pastas de dente e sabonetes para vender para mim mesmo em frente ao espelho.

Eu não sabia o motivo de estar fazendo aquilo, apenas gostava de fazer. Com o tempo, percebi que não gostava apenas de vender, mas me interessava pelas pessoas e queria saber mais sobre elas: o que sentiam? O que pensavam? O que gostariam de ouvir?

Aos 19 anos, montei meu primeiro negócio. Vivíamos o primeiro boom da internet e centenas de meninos prodígios da tecnologia eram fabricados. Fui um deles.

O site de leilões eBay tinha acabado de ser lançado. Queria uma bicicleta nova e meu pai sugeriu que eu vendesse algo no eBay para conseguir dinheiro e comprá-la. Então, perguntei para ele:

— Por que tenho que vender algo se posso trocar direto?

Ali nascia o nomoney.com.br, primeiro site de permutas do mundo. O site era um marketplace para trocas entre pessoas físicas. Eu e meu pai montamos um time bom e enxuto e conseguimos capital de investidores-anjos. O negócio não decolou e decidimos nos reposicionar para a construção de um negócio com foco em empresas. A ideia era prospectar – em companhias dos segmentos de mídia, aviação e hotelaria– bens perecíveis que, caso não fossem vendidos, se perderiam, e possibilitar que elas permutassem entre si.

Mudamos o nome do site para nextmoney.com.br. Aí sim, o negócio rodou... mas não por muito tempo. Um amigo da família, que meu pai conhecia havia anos, tinha se comprometido em comprar parte do capital. Porém, o nosso modelo de negócios era baseado em receitas de publicidade, que, com o fim da bolha da internet, diminuíram muito. Isso fez com que o "amigo" desistisse do compromisso.

Tivemos que encerrar a operação. Doeu, mas foi um MBA para mim. Ali aprendi que, se um dia eu voltasse a empreender, jamais deveria depender do capital ou da opinião de terceiros. Eu estruturaria o negócio para ser lucrativo desde seu primeiro dia, possibilitando que a empresa pudesse ser e falar o que bem entendesse.

Além disso, aprendi um bocado sobre internet, o lugar para onde o mundo foi.

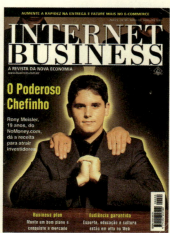

Aos 19 anos, na capa da *Internet Business*: lançando o primeiro site de permutas do mundo.

📷 COMPARTILHE ESTA IDEIA!

—

"QUEM TRAZ NA PELE ESSA MARCA POSSUI A ESTRANHA MANIA DE TER FÉ NA VIDA."

—

MILTON NASCIMENTO

@RESERVA

O COMEÇO

Eu tinha 24 anos e era um analista da Accenture. Era feliz, mas uma angústia me acompanhava desde o final da faculdade: me sentia um peixe fora d'água, mas não sabia qual mapa deveria escolher para encontrar meu caminho. Sentia que algo viria, mas não sabia de onde. Morava em mim um frio na barriga, que chamo de comichão, que só cresce desde então.

Eu e Fernando Sigal, o Nandão, amigo do colégio Liessin, costumávamos malhar juntos. Um dia, notamos cinco jovens usando uma mesma bermuda de praia na academia.

Entre nós, brincamos que aquele seria um problema de demanda reprimida, poucas marcas oferecendo aquele produto para muitos potenciais consumidores, ou de "demência" coletiva, porque todos se vestiam da mesma forma e não reparavam. Por isso, chamamos este dia de O Dia D.

Resolvemos, por pura aventura, desenhar e produzir uma bermuda de praia.

— Vamos fazer uma bermuda com uma foto em 360 graus da praia de Ipanema — sugeriu Nandão.

— E a foto tem que ser impecavelmente emendada nas costuras laterais e nas braguilhas — completei.

Até aí, tudo bem, mas precisávamos de alguém que desenhasse a peça. Lembramos de uma amiga de infância, Renata Benveniste, que era designer e havia trabalhado em uma confecção. Ela não apenas aceitou como também se tornou sócia do negócio.

Mas antes de desenhar a bermuda, precisávamos de um bom nome para a marca. Fizemos um brainstorming e rabiscamos algumas possibilidades para enviar por e-mail para uma votação entre amigos.

Eu havia desenvolvido uma técnica de tomada de decisão no caso de dúvida criativa: sempre escolhia opções que "não cheirassem nem fedessem".

Isto é, opções que não fossem idolatradas nem odiadas. Acreditava que, desse jeito, a possibilidade de construção de algo novo seria maior. A ausência de qualquer opinião muito cristalizada me permitiria obter uma "folha em branco" para construir o que bem entendesse.

Mandamos nossa lista de possíveis nomes, tipo "Posto 15", um posto imaginário da praia, mas nenhum deles convenceu.

Uma semana depois, fomos jantar com amigos, entre os quais alguns que tinham recebido nossa enquete a respeito do nome da marca.

A noite era de lua cheia e céu estrelado. Leonardo Klarnet, o Bizú, perguntou:

— Amanhã vai dar praia! Vamos na Reserva?!

Todos concordaram e ele emendou:

— Por que a marca não se chama Reserva?

Todos na mesa pararam de falar, olharam para mim e exclamaram quase que em coro:

— É... Pode ser...

Nascia ali a carioquíssima Reserva, inspirada na praia que sempre foi nosso ponto de encontro predileto nos fins de semana.

Agora tínhamos uma marca, uma sócia designer e uma boa ideia para uma primeira bermuda. A Rena desenhou a nossa primeira logomarca, minimalista e com três pontos finais, nos representando.

Em seguida, projetou a bermuda fotográfica com sugestão de aplicação da logomarca através de um *tag* de borracha em sua lateral. Achamos aquilo o máximo!

Mal sabíamos que desenhar era a parte fácil. Difícil seria encontrar alguém que produzisse exatamente o que idealizávamos. Passávamos todo o nosso tempo livre procurando fornecedores, mas não encontrávamos fábricas nas quais pudéssemos confiar.

Um dia, ganhei uma bermuda de praia e, quando fui vesti-la, reparei que a etiqueta de composição, aquela no interior da peça, não vinha com o CNPJ (Cadastro Nacional de Pessoa Jurídica) da marca, e sim da fábrica que a produzia. Entrei na internet, busquei pelo CNPJ no site do INPI (Instituto Nacional de Propriedade Industrial) e achei o endereço e o telefone do fabricante.

No dia seguinte, fui para a rua e comprei dez peças em uma dezena de lojas diferentes. Dessa forma, montamos nossa primeira carteira de fornecedores.

Ali percebemos que nossa caminhada só dependia (ou dependeria) de nós. Até hoje, quando surge um problema lembramos dessa história e contamos para a nossa turma. A lição a ser passada é que o verdadeiro empreendedor é tão apaixonado pelo que escolheu que, literalmente, passa por cima das adversidades, buscando soluções criativas para resolvê-las.

Fomos até o fornecedor e descobrimos que a bermuda com a foto em 360 graus do Rio seria, naquele momento, técnica e economicamente inviável. Também descobrimos que existiam os chamados "mínimos" e que, se quiséssemos produzir uma bermuda de praia, teríamos que encomendar, pelo menos, trezentas delas, todas iguais.

Saímos de lá superdecepcionados. Quando entramos no carro, dei de cara com o CD *Seja você mesmo (mas não seja sempre o mesmo)*, que Gabriel, o Pensador, havia acabado de lançar.

Foi como uma revelação. Era isso que desejávamos que a Reserva representasse na vida das pessoas: uma opção para que elas mesmas – e não suas roupas – fossem as protagonistas em suas vidas!

Pegamos o CD, voltamos para dentro da fábrica e a Rena desenhou lá mesmo a primeira peça da Reserva. A frase? Be yourself but not always the same.

— Por que toda marca brasileira precisa ter um slogan em inglês? — perguntamos, às gargalhadas.

Com um mês de atraso, o fornecedor nos entregou as trezentas bermudas. Repito: trezentas bermudas. Idênticas! Eram meados de novembro quando começamos a vendê-las – a princípio, de mão em mão, de cliente em cliente e, para ser sincero, de amigo em amigo!

Vendíamos na praia, na mala do carro, na faculdade, e, óbvio, na academia. Por mais que vendêssemos, as trezentas peças não acabavam nunca. Por isso, decidimos que também as venderíamos em pacotes.

Como estávamos próximos do Natal, deixaríamos pacotes de até dez bermudas nas casas dos nossos amigos mais influentes para eles nos ajudarem, dando de presente ou vendendo para amigos e familiares.

O estoque acabou dias antes do Natal! A partir daí, começamos uma boa divulgação boca a boca sobre a chegada de uma nova marca de moda masculina chamada Reserva.

Em fevereiro, na volta do Carnaval, tivemos uma grata surpresa. Quando chegamos à praia, contamos 32 pessoas usando a nossa bermuda. O feitiço havia virado contra os feiticeiros e isso era incrível!

Na época, não registrei exatamente quanto gastamos, nem a nossa margem, mas lembro que fizemos um caixa de cerca de R$ 20 mil para seguir investindo no negócio. Com o dinheiro, partimos para a produção da primeira coleção da marca: a Conexões Urbanas, composta por bermudas e camisetas.

DE IPANEMA PARA O MUNDO

A ideia da coleção Conexões Urbanas era integrar morro e asfalto. A meu ver, aquele momento era o nascimento não apenas de nossa primeira coleção, mas principalmente da nossa vontade de conscientização e transformação social através da marca. Para criar a coleção, contratamos os artistas plásticos e grafiteiros Bragga e Smael.

Todas as fichas técnicas e artes foram entregues a novos fornecedores. Com a produção encaminhada, começamos a pensar no lançamento da coleção e da marca, que até então não existia oficialmente.

Um amigo, o Marcelo Rosas, era dono de uma charmosa casa na rua Paul Redfern, na quadra da praia, em Ipanema, onde havia funcionado um ateliê de arte. Ele nos ofereceu o espaço para o lançamento da coleção.

Como o local era muito pequeno, resolvemos chamar apenas amigos mais próximos e familiares. Montamos um sambinha, improvisamos uns varais para expor as peças da coleção e ligamos para o Cello Camolese e o Marcelo do Rio, que estavam lançando uma cerveja artesanal, a Devassa, para encherem o freezer de geladas.

Tudo pronto, mas faltava o mais importante: as roupas! Na véspera, eu e Nandão fomos buscar a coleção. Foi um desespero. O produto tinha graves problemas de acabamento, mal conhecíamos os fornecedores e o evento de lançamento aconteceria no dia seguinte. Fizemos nós mesmos o controle de qualidade, devolvemos parte do estoque e fomos para o evento com o que de melhor poderíamos levar, ainda assim muito longe de ter a qualidade que pretendíamos.

Lembro que em uma das camisetas havia um neologismo: *Newaholic*, viciado em novidades. Foi a palavra que escolhi para usar na festa de lançamento da marca.

Em trinta minutos de evento, já haviam circulado por lá mais de quatrocentas pessoas. A rua estava fechada de tanta gente. Amigos de amigos de amigos espontaneamente foram conhecer essa tal de Reserva, nova marca de moda de que tanto se falava.

O segundo item a acabar foi a bebida, porque o primeiro foram as roupas! Vendemos tudo em três horas.

Como um produto longe de ter a melhor qualidade poderia vender tão rápido e para um público tão selecionado?

Ficou claro para mim que, muito mais do que roupas, estávamos vendendo uma experiência bacana, passional, familiar e completamente fora do lugar-comum pretensioso e inatingível da moda. Aquele foi o ponto da virada, não da marca, ainda, mas de nossas vidas.

HOBBIE OU TRABALHO?

No momento em que decidimos produzir nossa primeira bermuda, eu era um moleque carioca, bem-nascido e analista em uma multinacional, mas, em compensação, um completo outsider no mercado de moda.

Digo que tenho uma vantagem e uma desvantagem nesse trabalho. A desvantagem é não entender absolutamente nada de moda e a vantagem... é exatamente a mesma. Quando somos *outsiders* em um mercado, não carregamos preconceitos, receitas de bolo ou "certezas absolutas".

Quando somos outsiders, somos menos medrosos e arriscamos mais. Se não sabemos o que é um erro, estamos menos sujeitos a ter medo de cometê-lo. O medo é inimigo da inovação.

◉ **COMPARTILHE ESTA IDEIA!**

—

"EU NÃO TENHO MEDO DE MORRER. EU TENHO MEDO DE NÃO TENTAR."

—

JAY Z

@RESERVA

Por isso, dizemos que não fazemos moda. No dia em que acreditarmos que somos *insiders*, começaremos a morrer, pois passaremos a ter medo de fazer diferente.

Após a festa de lançamento, me vi completamente apaixonado pelo que estava fazendo. Não pelo processo de criação e desenvolvimento de roupas, mas pela possibilidade de me comunicar por meio delas.

Para mim, a roupa é uma mídia, como uma revista ou um jornal, pela qual me permito propor um diálogo com nossos consumidores. Acho que aí mora um dos grandes diferenciais competitivos da Reserva.

Descobri o que amava fazer da vida e não cogitei nem por um segundo a possibilidade de não viver para isso.

Tomada a decisão, foram duas as conversas que tive antes do pedido de demissão da consultoria. A primeira, com meus pais, que, como sempre, me apoiaram irrestritamente e me incentivaram, apesar de não entenderem direito do que se tratava o negócio. No começo, quando alguém perguntava a eles o que eu fazia, respondiam que eu "tinha um negócio de varejo".

A segunda conversa foi com o gerente do meu projeto de consultoria, na Accenture. O diálogo foi divertido:

— Rafa, decidi sair da empresa para empreender.

— Que bacana! Dou a maior força. O que você vai fazer?

— Então, vou montar uma marca de moda masculina.

— Legal... Então, que tal uma licença não remunerada por um ano caso resolva voltar?

E assim foi. Três anos depois, me lembrei que estava licenciado e pedi meu desligamento.

"Homem não compra roupa." Esta foi a frase que mais ouvi quando comecei a contar para as pessoas sobre a nossa decisão de nos dedicarmos exclusivamente à Reserva. Fomos chamados de românticos, loucos e até de camicases.

Se todo mundo acha que é um mercado ruim, provavelmente é bom – porque estaremos sozinhos nele.

O mais legal é que, quando o negócio começou a prosperar, os mesmos amigos que nos chamavam de loucos começaram a nos procurar para pedir conselhos profissionais, porque, segundo eles, éramos "gênios visionários". Baboseira! Não são os gênios que prosperam, e sim os apaixonados pelo que fazem. É isto que sempre fomos: apaixonados pela Reserva.

Hoje, se alguém me pede conselhos profissionais, a minha resposta é imediata: o que você mais ama fazer quando não está trabalhando? Possivelmente é isso que deveria fazer também quando está trabalhando, pois a jornada será muito difícil e só o amor será capaz de mantê-lo no caminho.

LÁ EM CASA

Duas amigas nossas, Nica Kessler e Paula Einsfeld, também estavam montando uma nova marca, a Elás. Tanto a Reserva como a Elás precisavam de um escritório que também funcionasse como loja.

Resolvemos juntar forças, dividir custos e montar o ateliê Lá em Casa, uma pequena sala em um prédio charmoso no Baixo Gávea. Híbrido de escritório e loja, onde trabalhávamos, lançávamos e vendíamos nossas coleções.

Foi no Lá em Casa que o Jayme Nigri, outro grande amigo de infância, entrou na nossa história. Jayminho era advogado e nós o chamamos para elaborar nosso primeiro contrato social. Nem imaginávamos que, futuramente, ele se tornaria nosso sócio e CFO, o diretor financeiro da companhia.

A partir dali, começamos a viver exclusivamente da Reserva. Como todo começo, nada era fácil. A marca era pouquíssimo conhecida e o ateliê ficava no terceiro andar de um prédio sem elevador, o que dificultava bastante o acesso dos clientes.

Quando começamos a fazer dinheiro, decidimos contratar uma assessoria de imprensa para nos ajudar na divulgação e no relacionamento da marca com os jornalistas. Mais uma decisão acertada: a marca começou a ganhar em repercussão.

Nunca havíamos desenhado e desenvolvido moda e, por isso, as coleções não eram incríveis. Eu era o estilista responsável e até hoje não entendo como os fornecedores compreendiam os "monstrinhos" que eu desenhava nas fichas técnicas.

Foi então que decidimos concorrer a uma vaga para desfilar no Fashion Rio. Montamos o projeto (croquis e peças--piloto) completamente alinhado com o que o mercado achava bacana, apesar de não gostarmos do que estávamos entregando. Tratava-se de um produto aspiracional de moda, roupas que eu não usaria e que não observava nas ruas. E isso me incomodava bastante.

Fizemos o projeto e, dias depois, nosso primeiro grande baque profissional: não fomos aceitos!

Chorei de raiva. Desci os três andares do ateliê e dei quatro voltas correndo no quarteirão, me sentindo um idiota. Para onde havia ido a minha personalidade?! Por que não fiz o que meu coração mandava?!

Jurei para mim mesmo que jamais apostaria novamente em algo que não me emocionasse. Se fosse para deixar de fazer alguma coisa, seria porque nós não gostamos e não pela opinião dos "especialistas".

Nosso erro doeu, mas serviu para que jamais o repetíssemos. Também jurei para mim mesmo que, em seis meses, passaríamos no próximo concurso e estrearíamos no Fashion Rio.

PLANILHA E OUVIDO ACEITAM TUDO

Fora a decepção do Fashion Rio, tudo parecia ir bem. Tínhamos um escritório/ponto de venda e boa repercussão da marca na imprensa, que nos chamava de "meninos da Reserva".

Porém a vida e a Reserva me ensinaram que depois da arrebentação o mar sempre recolhe. E recolheu. Fomos avisados pelo inquilino que deveríamos liberar o imóvel para venda. Era o fim do Lá em Casa.

Para completar, nossa relação profissional com a Rena passou a não funcionar e eu e Fernando decidimos conversar com ela sobre o término da sociedade. Obviamente, ela ficou muito magoada e não tivemos o melhor final possível, apesar de amigável. Ficamos alguns anos sem nos falar, mas hoje somos grandes amigos e ela inclusive trabalha conosco em alguns projetos.

Sem ateliê e sem uma das sócias originais, poderia ter sido o fim da Reserva, mas isso não passou por nossa cabeça. Decidimos mudar nosso escritório provisoriamente para o meu quarto, na casa dos meus pais. De lá, formataríamos nosso plano de negócios e renasceríamos.

Foram algumas noites insones na prancheta, redesenhando a Reserva. Até que, um dia, meu pai entrou no quarto e me perguntou o que eu estava fazendo. Mostrei para ele os números e cálculos de projeções de vendas. A planilha só faltava falar. Então, meu pai disse:

— Filho, a planilha está linda, parabéns! Mas tem um problema. Planilha e ouvido aceitam tudo. Larga isso e vai para a rua fazer e vender. Quando você não souber mais como administrar seus pedidos e coleções, você contrata alguém melhor do que você para fazer esta planilha.

Aquilo virou um mantra para mim. Pela manhã, sentei com o Nandão e, em uma hora, desenhamos um plano de ação.

De cara, descartamos a abertura de uma loja, por três motivos.

Primeiro, não tínhamos dinheiro para montar uma loja bacana como gostaríamos.

Depois, como nossa ideia sempre foi a de trabalhar com a produção terceirizada, tínhamos que arcar com mínimos de compras de trezentas peças de cada modelo. Isso significava

📷 **COMPARTILHE ESTA IDEIA!**

—

"NÃO TENHAMOS PRESSA, MAS NÃO PERCAMOS TEMPO."

—

JOSÉ SARAMAGO

@RESERVA

que teríamos uma quantidade muito grande de algumas poucas peças, o que não atrairia nosso cliente, ou que quebraríamos, gastando uma fortuna para montar um mix correto e dar conta de um estoque gigante.

Por fim, nosso produto não era bom. Precisávamos aprender muito antes de abrir uma loja.

A primeira bermuda desenhada em 2004: "Seja você mesmo, mas nem sempre o mesmo."

Com a palavra, Fernando Sigal, o Nandão. Aponte a câmera do seu celular para a imagem e assista ao vídeo.

CRESCENDO E APRENDENDO

Desenhamos o modelo de negócios da Reserva como uma linha do tempo sustentável de atividades.

Começaríamos pelo atacado, com venda para multimarcas, enquanto divulgávamos a marca pela imprensa e pela participação em uma semana de moda.

As semanas funcionavam como catálogos para os clientes multimarcas e, por isso, sabíamos que, se fizéssemos bons desfiles, impulsionaríamos nossas vendas nos showrooms.

Quando o volume de vendas para multimarcas nos permitisse montar uma linda coleção, incluiríamos na encomenda o suficiente para uma loja própria e a inauguraríamos.

Também dividimos funções. Eu faria a parte da frente do balcão (produto, vendas e marketing) e o Nandão faria a outra parte (administrativo, financeiro e logística). Éramos um batalhão de duas pessoas.

O modelo era lógico, mas sabíamos que, para ser bem-sucedido, deveríamos segui-lo sem olhar para o lado.

Tínhamos que ser muito responsáveis financeiramente e jamais dar um passo maior que a perna, fato comum no mercado de moda. Até hoje é este o nosso modelo de negócios para toda nova marca que fomentamos no Grupo.

Com o modelo de negócios na mão, a responsabilidade da venda era minha, o que significava ir para a rua vender a coleção para clientes multimarcas. Mas quais clientes? Quando é que eles faziam suas compras? Não tinha a menor ideia de como funcionava o mercado.

Foi quando pedi ajuda aos nossos concorrentes, sem que eles soubessem...

Na época, todas as grandes marcas do mercado divulgavam em seus sites os nomes, os endereços e os telefones das multimarcas com as quais trabalhavam. Esforço comercial de anos, acessível gratuitamente na internet.

Passei uma tarde copiando e colando os contatos para uma planilha e defini nossa estratégia comercial: marcas cariocas têm histórico de boa aceitação em São Paulo, estado que mais concentra o mercado de multimarcas. Portanto, começaríamos pelo interior paulista.

A estratégia era começar vendendo em cidades que eu considerava mais formadoras de opinião. Se posicionássemos a Reserva nas multimarcas corretas, as outras viriam como consequência.

Eram meados de março de 2005 quando peguei a planilha e comecei a ligar para os lojistas. Queria agendar visitas para mostrar nossa coleção, mas eles me diziam que só compravam em janeiro e junho, dentro do calendário das semanas de moda, e que de nada adiantaria conhecerem a marca naquele momento, pois já tinham feito as compras para o semestre.

Para mim, aquele era um mundo novo e tudo era aprendizado. Tínhamos dois ou três meses para melhorar nosso produto e voltar a visitá-los em junho.

Foram meses divertidos. Eu e Nandão viajávamos o dia inteiro de carro pelo interior do Rio, em busca de novos fornecedores. Fomos montando nossa primeira coleção de bom nível, pelo menos para o que, naquele momento, entendíamos como sendo um bom nível.

A paixão pelo que faço despertou em mim uma curiosidade sem fim que mudou minha vida para sempre. Meu trabalho é o resultado prático da curiosidade que me coloca num movimento infinito de novas descobertas.

Quase todas as minhas ideias criativas ou operacionais são *remix* de boas práticas criativas sobre as quais já tinha lido ou ouvido falar. Quando nós abrimos o armário e decidimos usar aquela camisa com aquela calça e aquele sapato, é o nosso cérebro nos mandando dicas de como nos vestir com base no que ele já viu nas ruas, revistas, viagens etc.

E o mesmo acontece com os negócios. De tanto lermos e pesquisarmos, quando precisamos de uma ideia, é como se abríssemos um armário de fatos e referências que, ao longo de nossa vida, fomos acumulando. Quanto mais referências, melhores os achados. Não me envergonho nem um pouco de assumir que tenho referências criativas.

Junho chegou e agendei reuniões com quinze lojistas do interior de São Paulo. Voei para lá e aluguei um carro no aeroporto para ir visitá-los. Cliente a cliente, olho no olho, contava a nossa história, falava sobre o nosso sonho de ser a melhor marca de moda masculina do país e mostrava o nosso produto.

Dos quinze, vendi para dez, mas, tenho certeza, não vendi o produto. Ele era muito pior do que os das marcas com as quais eles já trabalhavam. O que vendi foi o nosso sonho – com todo o amor e tesão do mundo. Eles compraram – e compram até hoje – os nossos sonhos.

Enquanto eu vendia, o Nandão administrava os pedidos para as fábricas, recebia, conferia, armazenava, montava caixas por clientes e fazia, na mão, as notas fiscais. Tudo isso na sala da casa da mãe dele, a tia Miriam. Detalhe: o caminhão da transportadora parava em frente ao prédio para pegar as caixas.

Tem gente que acha que empreender é colocar uma pastinha debaixo do braço para pedir milhões de dólares a um capitalista de risco. Para mim, empreender é trabalhar feito louco para colocar seus sonhos de pé e jamais se dar por vencido.

Eu verdadeiramente acredito que quando você ama o que faz e se coloca em movimento ao redor disso acaba criando um círculo virtuoso. Uma energia que toca as pessoas e as coisas. Sim, as coisas! Porque um lojista se emocionar com o nosso sonho e comprar Reserva é uma coisa, mas outra bem diferente é um produto ainda ruim de uma marca sem reconhecimento ser comprado pelos clientes dele. Foi o que começou a acontecer. E, ainda mais, sabendo disso, outros lojistas começaram a, espontaneamente, entrar em contato conosco.

A partir do segundo showroom, passamos a atender nossos clientes em um quarto de hotel durante a São Paulo Fashion Week. Eu ia de carro, levando três malas: uma com roupas, uma com araras desmontadas e outra com cabides.

Eu fazia tudo no hotel, da arrumação aos pedidos. Só não dormia lá, pois o dinheiro não dava para outro quarto daquele nível. Para dormir, ia para uma pensão.

Até hoje este é o nosso modelo de negócios. Toda marca que lançamos começa pelo atacado, que faz um volume mínimo de pedidos para, aí sim, partir para o varejo.

FASHION RIO

Passados seis meses, voltamos a tentar uma participação no Fashion Rio. Só que, dessa vez, do nosso jeito. As regras do concurso de novos estilistas eram claras: dez croquis e um look completo deveriam ser entregues numa determinada data para avaliação e votação.

Decidi que não desenharíamos uma coleção motivada por um tema nonsense, mas que contaríamos uma história de vida que se misturava com a nossa.

📷 COMPARTILHE ESTA IDEIA!

"UMA PERGUNTA COMUM NOS NEGÓCIOS É 'POR QUÊ?'. ESSA É UMA BOA PERGUNTA, MAS UM QUESTIONAMENTO IGUALMENTE VÁLIDO É 'POR QUE NÃO?'."

—

JEFF BEZOS

@RESERVA

Roteirizei a história de dez amigos de infância que montaram uma fábrica de customização de bicicletas no Rio de Janeiro.

Antes de desenhar qualquer peça de roupa, descrevi traços da personalidade deles, detalhes do que cada um acreditava e de como se vestiam.

Quando mostrei para o Nandão, ele disse:

— Isso é quase uma história em quadrinhos!

Voilà! Ele havia acabado de me responder como um engenheiro de formação viria a desenhar croquis para um desfile. Decidi contratar um ilustrador de histórias em quadrinhos para desenhar todos os personagens e fazer não um livro de croquis – regra imposta pelo evento –, mas um gibi com os personagens vestindo nossa coleção. Quebrar as regras e fazer do nosso jeito era um tesão!

Em seguida, chamamos alguns fornecedores e desenvolvemos todos os looks. Quando as peças chegaram, achamos que estavam muito "limpinhas", então subimos um pequeno morro de barro perto de uma das fábricas para sujar pessoalmente todas elas e desenvolvemos uma técnica de tinturaria em barro junto com o fornecedor.

Pedimos – sem a menor esperança de sucesso – ao João Vellutini, modelo brasileiro número 1 na época, que havíamos conhecido poucos meses antes, que participasse de uma sessão de fotos com a nossa coleção. Para nossa surpresa, ele topou, e fotografamos nossa primeira campanha, com os 10 looks, numa oficina carioca.

Compramos uma arara enferrujada e nela penduramos os looks, com as fotos de campanha e o gibi na frente. Além disso, escrevemos em um papel amassado: "O mar estava alto e fomos pegar onda na Reserva. Por favor, tomem conta de nossos pertences."

Deixamos a arara na Dupla Assessoria, agência que organizava o Fashion Rio. Semanas depois recebemos a ligação: havíamos entrado no circuito da moda nacional!

Com os R$ 50 mil que ganhamos da produção do evento e a ajuda de muita gente querida que veio nos apoiar na organização – entre eles Tiago Ferraz (styling), Wan Vieira (diretor de desfile) e Max Blum (trilha) –, colocamos nossos "amigos" na passarela no dia 6 de janeiro de 2006. Marcia Cabral, designer carioca reconhecida, criou um release de lançamento tão diferente quanto barato. Releases geralmente são lidos e jogados fora. Então, fizemos bolas de papel amassadas e as colocamos em cima das cadeiras dos críticos.

As roupas eram da coleção que já produzíamos para vender nos showrooms. A coleção agradou e a mídia espontânea foi enorme. Cresceu a curiosidade para saber quem eram os "meninos da Reserva".

Para ter boas críticas, a coleção precisava agradar aos críticos, principalmente os da primeira fila. Eles não queriam ver roupas comerciais, e sim exercícios artísticos conceituais – produtos diferentes daqueles que as marcas costumavam vender em suas araras.

Além disso, para que passassem uma imagem de "novidade" para a primeira fila, os produtores recomendavam que os modelos fossem esquálidos. Também algo muito diferente do consumidor das marcas nacionais.

Portanto, em nossa segunda e terceira coleções no Fashion Rio, jogamos o jogo. Nossos "roqueiros tropicais" e "universitários" se vestiam como astronautas e pareciam nórdicos que vinham ao Rio, no máximo, para passar férias de verão. Esquecemos dos nossos "amigos".

As roupas que vendíamos para as multimarcas eram bem diferentes daquelas que desfilávamos, não porque as peças não estivessem disponíveis, mas porque nossos clientes simplesmente não queriam comprá-las.

E as críticas? Excelentes!

2006: os croquis do nosso primeiro desfile transformados em história em quadrinhos.

Ao final de um de nossos desfiles, encontrei um amigo de infância que foi nos prestigiar e perguntei o que tinha achado. Visivelmente constrangido, ele disse que havia gostado.

A verdade era que nós também estávamos constrangidos e cansados daquele circo.

SÃO PAULO FASHION WEEK

No final de 2008 recebi um telefonema do Paulo Borges, produtor da São Paulo Fashion Week (SPFW). O evento precisava de uma marca masculina em seu portfólio e ele nos convidou para desfilar em São Paulo.

Havíamos acabado de inaugurar duas lojas na capital paulista e por isso nos pareceu interessante a migração naquele momento.

Nossa única condição foi a de que seríamos nós mesmos, e não o que a primeira fila queria ver. Usaríamos nossos desfiles para apresentar roupas de verdade, para serem usadas por aqueles que mais vibram com a marca: nossos consumidores. Além disso, sob o ponto de vista da temática, usaríamos os desfiles como nossa "mesa de bar". Nossos shows seriam mídia para o diálogo que gostaríamos de ter com nossos consumidores.

Realizamos ao todo oito desfiles na SPFW. Depois disso, o Paulo acabou ganhando os direitos de explorar também o Fashion Rio e, com ele, nos trouxe de volta ao evento, onde fizemos dois shows.

O "PRIMEIRO LOJINHA"

As duas primeiras temporadas no Fashion Rio nos trouxeram repercussão nacional e, consequentemente, vendas em nossos showrooms.

📷 **COMPARTILHE ESTA IDEIA!**

—

"NÃO SE PODE CRIAR EXPERIÊNCIA. É PRECISO PASSAR POR ELA."

—

ALBERT CAMUS

@RESERVA

Naquele momento, alugávamos três quartos de hotel em São Paulo para atender, no máximo, oitenta clientes por temporada. Ainda éramos apenas eu e o Nandão. Havíamos batido no teto comercialmente e sabíamos que precisávamos nos reinventar.

Apesar do sucesso nos desfiles, a marca precisava de mais repercussão e de mais braços para aumentar as vendas. Eram duas as opções: investir em publicidade ou abrir nossa primeira loja para que pudéssemos nos comunicar em 360 graus e gerar propaganda boca a boca.

Optamos pela loja e começamos a procurar pontos em sobrelojas de galerias, em Ipanema, o que cabia no orçamento.

No meio da busca, minha mãe me chamou para uma conversa que mudaria nosso destino. Ela disse que, além de acreditar em nós, enxergava nosso sonho e achava que ele era tão grande que não caberia em uma sobreloja. Precisávamos de uma loja de rua, e ela e meu pai nos ajudariam financeiramente a abri-la.

Dias depois, encontramos o ponto perfeito: rua Maria Quitéria, 77. Uma loja de 33 metros quadrados apenas, mas com um mundo de sonhos no estoque.

O PICA-PAU

Enquanto decidíamos a abertura da loja, eu estudava intensamente a história dos grandes nomes da moda mundial.

Na pesquisa, descobri que Giorgio Armani, Ralph Lauren e Valentino, entre muitos outros, além de gênios criativos, também são estetas. Por isso, me parecia cada vez mais difícil entender por que se submetiam a tratamentos tão "antiestéticos", como bronzeamento artificial, cabelo acaju...

Entendi que o objetivo desses estilistas era, na verdade, fugir da aparência de envelhecimento, que inevitavelmente contaminaria as marcas, batizadas com seus nomes.

A conclusão lógica foi que, para não acontecer a mesma coisa com a Reserva, ela jamais poderia estar associada à minha imagem ou à do Nandão. Primeiro, porque não pintaríamos nosso cabelo de acaju. Depois, porque, conforme a lei da vida, chegaria o dia em que nós não estaríamos mais aqui. Decidimos, então, que a marca seria representada por um mascote, que estaria sempre acima da imagem de qualquer um de nós.

O próximo passo era cuidar da marca. Contratamos a Marcia Cabral para criar e ajudar a implantar o branding da Reserva. Semanas depois de uma primeira reunião em que contamos a ela nossas histórias e sonhos, fomos ao seu escritório conferir alguns exercícios.

A princípio, nenhum deles traduzia o que imaginávamos. Perguntei se, durante o processo, havia surgido algo que não havia "cheirado nem fedido". Marcia respondeu que sim e resgatou, dentre os layouts descartados, uma folha branca com um enorme pica-pau vermelho. Foi amor à primeira vista. Parece licença poética, mas é a pura realidade: o pica-pau nasceu do "lixo".

Foi com o pica-pau na fachada e bordado no peito que inauguramos a loja de Ipanema. Ele nos permitiu reconhecimento nacional da marca ao mesmo tempo que podíamos passar totalmente incógnitos até mesmo nas semanas de moda.

Com a palavra,
Marcia Cabral.
Aponte a câmera do seu
celular para a imagem e
assista ao vídeo.

—

"EU E MINHA EQUIPE DESENHAMOS O PICA-PAU. O RONY E O NANDÃO CONSTRUÍRAM UMA MARCA."

—

MARCIA CABRAL

O pica-pau:
diretamente do "lixo"
promovido a mascote
da marca.

LOJA "MESA DE BAR"

Aquele lugar não era apenas uma loja, era nossa vida. E, como tal, resolvemos enchê-lo de amigos. Eu tinha a percepção de que, geralmente, vendedor tem vergonha da profissão. Não se assume como tal e, quando lhe perguntam, responde apenas que "trabalha para uma marca".

Eu achava absurdo e, ao mesmo tempo, entendia que, na Reserva, assim como na vida, a turma prosperaria à medida que cada um se visse como *amigo* – e não como *vendedor* – de nossos clientes.

Com Nandão na inauguração da primeira Reserva, em Ipanema.

Com a palavra,
Cleber Oliveira, o Clebinho.
Aponte a câmera do seu
celular para a imagem e
assista ao vídeo.

Clebinho, nosso primeiro
funcionário (que já foi de
tudo e hoje ocupa um cargo
administrativo), no desfile
que comemorou os 10 anos
da Reserva.

ABRE PARÊNTESES

Isso me força a voltar um pouco no tempo para falar do Cleber, ou melhor, do Clebinho.

Alguns meses antes de abrir a loja, com o crescimento nas multimarcas, saímos da casa de nossos pais e alugamos uma salinha de 40 metros quadrados em Copacabana, na rua Barata Ribeiro. Aquele era nosso primeiro escritório. Em 10 metros quadrados, ficávamos eu, Nandão e uma assistente financeira. Nos outros 30, ficava o estoque.

Precisávamos de alguém para nos ajudar com a logística dos pedidos e uma amiga indicou Cleber Oliveira.

Ele veio para a entrevista usando um terno verde-bandeira e uma camisa azul. Nandão explicou que, para realizar o trabalho, a pessoa precisaria dirigir o carro da empresa (isto é, o meu carro pessoal) e ele, de bate-pronto, respondeu:

— Ótimo. Estou com a carteira apreendida por conta das multas, mas sei dirigir bem!

E completou a frase com seu riso rouco, alto e cheio de personalidade. Nós nos apaixonamos por aquele sujeito humilde, engraçado e com um coração do tamanho do mundo.

Contratamos o Clebinho e ele virou um fiel escudeiro da marca. Muito mais do que um faz-tudo, sempre foi um grande amigo.

Nosso primeiro funcionário ocupa hoje um cargo administrativo no escritório central, mas, muito além de suas funções, com ele vivemos e vamos viver nossos melhores e piores momentos na empresa.

Sambista de mão cheia, Cleber compôs um samba em homenagem à marca no nosso aniversário de 10 anos. Na festa de comemoração, abriu, em cima de um carro alegórico, o desfile do bloco de carnaval que montamos na rua da nossa sede, em São Cristóvão.

Cleber é venerado por toda a nossa turma.

Fiz questão de dedicar uma parte deste livro a ele, não apenas por causa de sua relevância para a Reserva, mas, principalmente, porque acho que tem muito da essência do Clebinho na marca.

Nós celebramos as diferenças e não nos consideramos melhores nem piores do que ninguém. Na Reserva, os "Clebinhos" ascendem socialmente. Na Reserva, nós celebramos e celebrizamos os nossos "Clebinhos".

Somos uma família desde o nosso primeiro dia de vida, e é isso que sinto quando chego à empresa e dou um abraço nele.

Contratamos uma empresa de recursos humanos para nos ajudar com o processo seletivo dos vendedores e eles nos perguntaram qual seria o perfil para o time de vendas. Respondi imediatamente:

— Só vou contratar pessoas tão legais a ponto de me dar vontade de sair para jantar com elas três vezes por semana!

Entrevistamos dezenas de candidatos e escolhemos cinco. Um time de "loucos" com uma baita vontade de fazer diferente no varejo.

A empresa de RH queria treiná-los com um método reconhecido pelo mercado. Pedi para ler antes as apostilas e vi que aquilo era um treinamento para fazer as pessoas agirem como robôs, colocando-as num degrau abaixo do consumidor. Se aquilo era o padrão, estava explicado por que faltava autoestima no mercado.

Decidimos que nós seríamos uma marca de pessoas que por acaso vendem roupas – em vez de uma empresa de roupas que são vendidas por pessoas.

Nossas pessoas jamais seriam meros atendentes obrigados a agir de uma forma ou de outra. Elas seriam recorrentemente estimuladas a ser elas mesmas, a assumir riscos e a fazer os clientes sorrir. Nossas lojas seriam as casas onde elas receberiam os amigos.

Antes da abertura da loja, fizemos uma roda. Eu disse:

— Quantas vezes na vida um homem troca de barbeiro? Pouquíssimas! Vocês sabem por quê? Porque o homem não compra o corte de cabelo ou barba, mas a experiência, o bom papo, a cerveja, o café, as revistas e o hábito de ir até lá todos os meses.

Disse a eles que, na Reserva, estavam proibidos de se preocupar em vender roupas. A ideia era encontrar amigos, servir uma cervejinha gelada e trocar ideias com eles. A venda seria consequência e não causa. Expliquei também que eles deveriam ser o exemplo desse princípio. Em vez de brigar ou competir, deveriam conversar e se ajudar.

Na conversa, disse que meu objetivo era que, em dez anos, pudéssemos olhar para trás e ver que havíamos reinventado o varejo de moda no país.

— A única coisa que vou prometer a vocês é que, por melhor vendedor que seja, caso alguém não esteja comprometido com este propósito, essa pessoa não ficará na Reserva.

Encerramos com um abraço e gritamos:

— Vamo que vamo, porra!

Essa frase virou assinatura de todos os e-mails que mandei e mando, até hoje, para a turma da Reserva.

Abrimos a loja em setembro de 2006 e ela bombou! No primeiro Natal, três meses após a inauguração, tivemos que fechar a porta algumas vezes porque o espaço estava lotado.

Nosso produto não era o melhor, nossa marca tinha pouquíssimo reconhecimento, mas, ali dentro, havia uma nova e poderosa ideia que nem mesmo nós conseguíamos explicar ainda.

A EXPERIÊNCIA RESERVA

Entre os vendedores havia um que se destacava: Fabio Milliet, o último a ser contratado, substituindo outro que desistiu na véspera da abertura da loja.

Nessa época, eu dividia meu tempo entre o escritório – uma cadeira de praia no estoque da loja – e o salão de vendas. Um dia, o Fabinho me chamou e perguntou na bucha:

— Rony, é você quem trabalha aqui o dia inteiro vendendo?

— Não. Por que, precisa de algo?

— Não. Só não acho justo você escolher a trilha sonora da loja se sou eu quem trabalho aqui, em pé, o dia todo.

— De qual música você gosta?

— Está rolando uma nova cena de música eletrônica e acho que a batida dela ditaria o nosso ritmo no salão.

No dia seguinte, ele trouxe o próprio iPod e, desde então, a música eletrônica não saiu mais das nossas lojas.

Certa vez, em uma palestra, me parabenizaram pela visão e por ter sido a primeira marca a tocar música eletrônica nas lojas. Eu ri e respondi:

— Não é uma questão de visão, mas de audição. Eu apenas ouvi o que nossa turma queria.

Um bom exemplo disso é o nosso método de treinamento, chamado de Experiência Reserva.

Comecei a perceber um padrão no atendimento da loja. Quase sempre o cliente entrava mais para conhecer a nova marca do que para comprar. Em seguida, o vendedor se aproximava dele, quase que dançando naquela batida eletrônica, e oferecia uma cerveja gelada.

O próximo passo era, com a cerveja na mão, o cliente começar a examinar as roupas na arara, balançando a cabeça. O vendedor trazia algumas peças e levava o cliente para o provador. O diferencial estava no passo seguinte: o uso dos espelhos. Um de nossos vendedores tinha o hábito de trazer o cliente para se olhar no espelho do salão de vendas em vez de esperar que ele fizesse isso no provador, o que gerava uma taxa de conversão até três vezes maior.

A explicação, no meu entendimento, era óbvia. O cliente entra numa loja, mas descobre que está numa "festa". Lá, ele ganha uma cerveja e vai se trocar para estar vestido a caráter. Então, quando o vendedor o traz de volta para a "festa", agora vestido e com uma cerveja na mão, a probabilidade de ele não querer tirar aquela roupa é muito maior. A venda é, portanto, uma consequência lógica.

Tínhamos um caderno na loja e pedi que o vendedor escrevesse sobre esse padrão naquele caderno. Desde então, todos os padrões de atendimento que encontramos pelo caminho são registrados no "caderno": um manual prático e colaborativo – hoje, com centenas de verbetes – sobre como devemos surpreender positivamente os nossos clientes.

Na Reserva, são as pessoas que nos ensinam o que, na prática, elas descobrem sobre as preferências dos clientes. Num mercado onde estilistas e criativos são quase tratados como deuses, a Reserva preferiu ter o vendedor como protagonista.

Dois anos após a abertura da loja de Ipanema, foi a vez de chegarmos ao Shopping RioSul. Inicialmente, foi uma catástrofe. O motivo? A loja era linda, mas o time não entregava a nossa experiência. Precisamos de um ano inteiro de recrutamento, seleção e treinamento até nos recuperarmos.

Tiramos disso uma importante lição. O que nos motivaria a abrir novas lojas não seriam pontos com boas oportunidades comerciais, mas termos bons times já formados com a antecedência necessária.

Decidimos que, na rede, sempre teríamos 20% de pessoas a mais do que o necessário, ou seja, a cada dez lojas teríamos gente suficiente disponível para poder abrir mais duas.

Até hoje, antes de pisar no salão para vender, um novo vendedor passa oito dias em processo de imersão de marca e treinamento de experiência.

O Fabio é hoje nosso diretor comercial e verdadeiro protagonista na construção de nossa experiência comercial.

CRESCENDO PELAS MULTIMARCAS

Com o sucesso alcançado nas semanas de moda, decidimos então terceirizar nossa venda para multimarcas por meio de showrooms e representantes terceirizados regionalmente. Iríamos, portanto, precisar de um gestor para esse negócio. Após um longo processo seletivo, fiquei entre dois candidatos.

Um deles era gerente comercial de uma famosa marca brasileira, e a outra, gerente de uma marca menor do que a própria Reserva. Ele tinha mais relacionamento e experiência de mercado, e ela, um enorme brilho nos olhos e uma gigantesca vontade de fazer diferente.

Ambos queriam trabalhar conosco e tivemos que escolher. Ficamos com a menina do brilho nos olhos, Juliana Almeida, que montou comigo um *dream team* de representantes comerciais. Com a Ju no time, garantimos que a experiência Reserva seria entregue também em multimarcas.

Hoje, nossos mais de 1.400 clientes multimarcas enxergam a Reserva como principal marca em seus portfólios, não apenas por vender bem, mas porque os tratamos com admiração, respeito e carinho.

Com a palavra,
Fabio Milliet.
Aponte a câmera do seu celular para a imagem e assista ao vídeo.

Com a palavra,
Juliana Almeida.
Aponte a câmera do seu celular para a imagem e assista ao vídeo.

PROFISSIONALIZAÇÃO PRECOCE

O DIA EM QUE EU BATI NO TETO

A moda nacional é bipolar. As marcas têm fundadores profundamente criativos ou extremamente comerciais.

Quando os criativos contratam alguém para fazer o comercial, escolhem um profissional que, por não entender muito de marca, acaba prostituindo ou atrapalhando o negócio.

Quando ocorre o contrário e os comerciais contratam um criativo, a parceria pode dar certo, mas, se isso acontece, aparece um(a) concorrente e "rouba" o responsável pela criação. As constantes mudanças nesse campo acabam fazendo a marca perder personalidade.

Acredito que minha maior contribuição para a Reserva é a minha natureza híbrida, fruto da formação acadêmica e profissional prévia. Sou um apaixonado tanto pela vanguarda criativa como pela gestão comercial e operacional.

A Reserva se profissionalizou precocemente. Entre o terceiro e o quarto ano de existência da marca, ao percebermos que o crescimento estava nos levando para a desordem,

—

"O BRILHO
NOS OLHOS
LÁ DO INÍCIO
É O QUE
NOS MOVE
ATÉ HOJE."

—

JULIANA ALMEIDA

estruturamos uma diretoria executiva. Naquele momento tínhamos cinco lojas – Ipanema, RioSul e Leblon, no Rio de Janeiro, e Iguatemi e Market Place, em São Paulo – e 150 multimarcas revendedoras.

Havíamos trazido um novo sócio para o negócio: Diogo Mariani comprou uma participação na empresa e assumiu o cargo de diretor financeiro para nos ajudar no processo de profissionalização da companhia.

De saída, montamos o demonstrativo de resultados, o famoso DRE, do jeito que dava e com o conhecimento que tínhamos, e organizamos uma "reunião de conselho" na casa do meu pai.

Éramos eu, o Fernando, o Diogo e o meu pai. O DRE estava uma zona e, para que pudéssemos tomar alguma decisão, resolvemos classificar os maiores custos da empresa.

Sobre os dois primeiros, impostos e aluguel, entendemos que não tínhamos muito a fazer, mas quando olhamos para o custo da mercadoria percebemos que o crescimento não havia nos permitido tempo para negociar com os fornecedores, e que havia gordura ali.

Também não tínhamos o melhor prazo de pagamento – o que nos demandava maior custo financeiro e capital de giro. Conclusão: precisávamos trazer alguém que entendesse de gestão de estoque para nos ajudar a colocar ordem na casa.

Meu pai disse que, em suas corridas matinais, ele sempre encontrava com Luis Roberto Pinto, seu contemporâneo e ex--superintendente de compras nas Lojas Americanas, que naquele momento prestava consultoria para o mercado de varejo.

Alguns dias depois, Luis Roberto começou a realizar um trabalho de consultoria para a Reserva. Passamos a fazer um planejamento de compras mais profissional e formatamos nossa verba de compras para gerir melhor a reposição de mercadorias.

A empresa começou a ficar mais organizada, mas, por outro lado, comecei a sentir que me faltava braço para a gestão da companhia. Eu era o CEO da Reserva e acumulava os cargos de diretor comercial e criativo.

Convidamos, então, o Luis Roberto para assumir o cargo de CEO interinamente. Assim, eu poderia focar nas vendas e na criação e, ao mesmo tempo, receber um coaching para quando reassumisse o cargo novamente, dois a quatro anos depois. Ele aceitou.

E prosseguimos na formação da equipe. O Jayme Nigri era nosso advogado e amigo de infância. Ele saiu do Brasil para fazer mestrado nos Estados Unidos e, quando retornou, me procurou para uma conversa. Ele disse que pretendia empreender e que a única empresa na qual acreditava era a Reserva.

Por um lado, fiquei feliz pelo prestígio, mas, por outro, entre preocupado e gozador, disse:

— Jayminho, se um dia uma empresa de moda precisar de um diretor jurídico, é porque algo deu errado.

Então sugeri que ele entrasse na empresa e descobrisse um problema para resolver. Minha lógica foi do "primeiro *quem*, depois *como*". Se Jayme tivesse que ficar com a gente, daria certo.

Meses depois, quando Diogo assumiu um desafio dentro da área de sistemas e precisávamos de alguém para assumir o financeiro, Jayminho matou a bola no peito e pegou o departamento para ele.

Estruturou e organizou o orçamento da empresa, digitalizou e automatizou 100% da nossa informação financeira,

Com a palavra, Jayme Nigri. Aponte a câmera do seu celular para a imagem e assista ao vídeo.

profissionalizou todos os processos e montou uma tesouraria dentro do departamento, transformando-o assim num centro de lucro.

Anos mais tarde, em maio de 2015, quando selamos a parceria com a Dynamo, nossos sócios financeiros, Jayme foi o real responsável pelo acordo. Depois, formou seu sucessor e assumiu como diretor operacional do Grupo, cuidando não apenas do administrativo e financeiro, mas de todos os departamentos com esse perfil.

Na minha experiência de consultor em implantação de sistemas, havia entendido que normalmente o gestor responsável pela logística não se dá bem com quem responde pelo departamento de Tecnologia da Informação (TI).

O gerente de logística não concorda com o software de gestão e o gestor de TI, por sua vez, discorda do modelo de gestão logístico. Essa tensão impede soluções e pode fazer as companhias pararem.

Por isso, sempre pensei que, quando eu tivesse a minha empresa, o gestor de TI e de Logística seriam a mesma pessoa.

Quando o Luis Roberto assumiu a empresa, expliquei essa minha percepção e ele sugeriu que conversássemos com o José Alberto Silva, colega dele e de meu pai nas Lojas Americanas, que trabalhava como gerente de TI na Richards.

Deu liga. Perguntei ao Zé sobre sua visão de tecnologia para o varejo, e ele, como se lesse a minha mente, respondeu que, em varejo, não se poderia gerir tecnologia separadamente da logística. Além de sócio, o Zé já saiu daquela reunião como diretor de TI & Logística da Reserva.

Com a palavra,
José Alberto Silva.
Aponte a câmera do seu
celular para a imagem e
assista ao vídeo.

A vinda do Zé foi um enorme acerto. Com o excelente time que ele montou, pudemos desenvolver, dentro de casa, o nosso sistema de gestão de estoques – com inteligência capaz de gerir nossos estoques por meio da reposição automática e nos permitindo um ganho de eficiência sem precedentes no mercado de moda nacional. Com a chegada dos novos sócios, Nandão resolveu focar na profissionalização da área de desenvolvimento de produtos e eu pude focar na gestão criativa e comercial do negócio.

Eles não sabem disso, mas me lembro de que, no dia em que fizemos a primeira reunião de sócios com todos eles, voltei para casa chorando no carro. Tinha me emocionado ao perceber que estávamos conseguindo dar sustentabilidade ao nosso propósito.

Com o time montado, operamos um processo de crescimento com ganho de eficiência concomitante. Em 2008 tínhamos oito lojas; em 2017, ano de lançamento da 1ª edição deste livro, eram 65.

Em 2013, o Diogo deixou a sociedade: carinho e gratidão eternos a ele.

O "SORRIDENTE"

O Luis Roberto havia feito um excelente trabalho na organização da companhia e eu havia aprendido muito com ele.

Entre os principais produtos estratégicos criados na gestão do Luis, eu destacaria dois, fundamentais até hoje ao negócio: a lógica de reposição automática de estoques e a rotina de reuniões semanais para controle do caixa da companhia.

O primeiro garantiu que as lojas tivessem um enorme ganho de eficiência: após a implantação, passamos a faturar cerca de 7% a mais na rede de lojas por ter o estoque certo no lugar certo e na hora certa.

Já a gestão do caixa impedia que caíssemos na armadilha de operar baseados na lucratividade, que pode levar uma empresa a assumir dívidas para girar o seu negócio.

O Luis implantou uma reunião para acompanharmos e cobrarmos metas semanais de caixa uns dos outros.

O modelo criou em nós a cultura de gestão de custos e, sobretudo, fez com que estruturássemos uma empresa sustentável financeiramente.

No início de 2012, eu já tinha estruturado os times criativos e comerciais. Senti que era a hora de voltar a assumir a liderança da Reserva. Conversei com o Luis e decidimos que ele continuaria sócio da empresa, como conselheiro.

No dia 12 de março de 2012, mandei uma carta para a turma da Reserva que, de alguma forma, antecipava o que iríamos viver dali para a frente.

◉ COMPARTILHE ESTA IDEIA!

—

"A DIFERENÇA ENTRE UM CHEFE E UM LÍDER: UM CHEFE DIZ 'VÁ!'. UM LÍDER DIZ 'VAMOS!'."

—

E. M. KELLY

@RESERVA

from: rony meisler (ronymeisler@usereserva.com)
subject: novos caminhos
date: march 12, 2012 3:30:58 pm pdt
to: familiareserva@usereserva.com

PORRA. CARALHO. VAI TOMAR NO CU. VAI SE FUDER. PUTAQUEOPARIU !! !!!

E aí?! Comecei bem como presidente? hehehehe. Brincadeira, foi só para quebrar o gelo. A princípio, não gosto da palavra "presidente". Prefiro ser "dono". Não pela babaquice da coisa, mas pelo conceito dela. Isto porque, para mim, o verdadeiro dono é aquele que sonha, ama e protege incondicionalmente aquilo que constrói todos os dias. Um verdadeiro dono é como um pai de família.

Um bom pai de família coloca filhos no mundo, só o amor é capaz de gerar filhos. E o amor que sente pelos seus filhos é condicional à sua sobrevivência e direcionador de sua vida.

Um bom pai de família direciona sua família para a prática do que é ético e correto.

Um bom pai de família dá dinheiro a seus filhos o suficiente para que façam alguma coisa e não para que não façam nada. E assim ensina a eles o real valor das coisas na vida.

Um bom pai de família, antes de repreender, educa seus filhos. Mesmo que, muitas vezes, o coração brigue com a razão, ele se mantém firme. Um bom pai de família tem que saber ser chefe de família.

Um bom pai de família batalha muito pelo diálogo e pela união de todos. Isto porque a vida lhe ensinou que não há alicerce mais forte do que o respeito mútuo e o diálogo recorrente para a manutenção da instituição familiar.

Um bom pai de família é um tomador de decisões tão bom quanto sabe escutar e respeitar a opinião de todos na casa. Um bom pai de família toma as melhores decisões para a família como um todo, mesmo que isso possa ferir individualmente algum sentimento.

Etc., etc., etc., etc., etc.

É preciso motivar-se pelo amor e pela construção de algo eterno e infinito. Neste processo, a responsabilidade e boa gestão financeira e seu crescente ganho de eficiência e lucratividade são uma premissa básica, uma obrigação paternal, pela manutenção e responsabilidade familiar, mas nunca pode ser a causa. A causa ou a seta, como gosto de falar, exatamente como numa família, é a saúde, a prosperidade, e, principalmente, a felicidade!

Estamos todos no mesmo barco, somos todos donos e pais desta família linda que não para de crescer e florescer. Entendo que a única diferença é que eu passo a ser agora o eixo consolidador. Aquele que precisará entender sinergias em nossas diferenças e diferenças em nossas sinergias, e trabalhar para que, a partir deste processo, somemos forças sempre e nos mantenhamos unidos e felizes.

Sempre gostei de escrever. E de fazer. hehehe. E acho que vocês devem perceber isso no nosso dia a dia. E como a ordem das coisas sempre foi essa, talvez porque através da prática da escrita melhor e mais me entendo, comecei novamente escrevendo-lhes. Chega agora a hora de fazermos. A FASE 2 desta companhia começa agora e juntos criaremos enorme eficiência e guiaremos este filho para o mundo em cinco anos.

Tenho muitíssimo a aprender com vocês, tenho muitíssimo a aprender com o Luis, com meu pai e com os futuros conselheiros. Tenho certeza de que serei em muitos casos operacionalmente pior do que o Luis, mas a promessa é de (como o Zé falou) "juízo" e de transparência e muita humildade nesta nova etapa da vida.

No caminho da visão, devagar, responsavelmente e sempre.

> VAMO QUE VAMO, PORRA!!!!!!!!!!!!!!!!!!!!!!!!!!!!!!!!!!!!!!!
>
> Bjs
> Rony
>
> P.S.: 1 - Ainda nesta semana comunicarei pessoalmente as mudanças a todos os gerentes/coordenadores e, em seguida, distribuirei um e-mail para toda a família.
> P.S.: 2 - Também nesta semana agendarei um papo com todos vocês para que nos alinhemos estrategicamente e operacionalmente para a FASE 2. Em seguida conversarei individualmente com vocês para estabelecermos a rotina de follow-up de cada departamento.

Desde então, eu virei o "sorridente" da Reserva.

Meu cartão de visita:
presidente não, obrigado!

📷 **COMPARTILHE ESTA IDEIA!**

—

"É SEMPRE FÁCIL OBEDECER QUANDO SE SONHA COMANDAR."

—

JEAN-PAUL SARTRE

@RESERVA

RESERVALÂNDIA

Após assumir como "sorridente", tomei uma decisão importante.

Naquele momento, nosso Centro de Distribuição ficava em Fazenda Botafogo, na Zona Norte do Rio, e o nosso escritório, em Copacabana. O Luis acreditava que o CD deveria estar descentralizado, de maneira que pudesse funcionar independentemente da sede, e assim não limitar o crescimento da empresa. Se o faturamento crescesse, o CD se mudaria para um lugar maior, pagando sempre um metro quadrado mais barato por estar numa região menos nobre, e a sede poderia se manter no mesmo lugar.

Na teoria, estava certíssimo, mas na prática eu percebia que essa divisão estava formando dois times em vez de um: sede e CD não se entendiam como departamentos diferentes, mas como empresas distintas.

Por isso, minha primeira decisão foi a de unir sede e CD em um único lugar. Alugamos um depósito em São Cristóvão e montamos lá a nossa casa. Construímos um espaço jovem e livre de alma, pensado para integrar todos os departamentos da empresa. A nossa cultura deveria estar em cada metro quadrado daquele lugar.

Dias depois da mudança, o jornal carioca *O Globo* publicou matéria de página inteira sobre o nosso novo espaço. O maior site de arquitetura corporativa do planeta, o Office Snapshots.com, elegeu nosso escritório como um dos mais bacanas do mundo.

Quando a Sede e o CD funcionavam separados, os erros eram tomados como provocações pessoais e o diálogo era praticamente impossível. Perdíamos uma quantidade enorme de mercadoria, a reposição automática para as lojas acontecia com muitos pontos de erro, e discrepâncias entre o que a área de Compras e o CD diziam ter sido recebido das fábricas viraram padrão. As nossas turmas viviam culpando umas às outras – e brigando.

Precisávamos ser o exemplo daquilo que pregávamos. Não se poderia cobrar união se não houvesse união. Não se poderia ser amigo sendo inimigo. Os problemas eram de todos e só existiria solução se houvesse colaboração entre departamentos.

A mudança integrou a Reserva por completo. É óbvio que ainda temos inúmeros desafios operacionais, mas, sem dúvida, passamos a nos enxergar como uma única empresa na busca por soluções na gestão dos nossos estoques.

Coincidências à parte, após a mudança crescemos o dobro da eficiência em vendas por metro quadrado. E o melhor de tudo: as pessoas passaram a conviver umas com as outras.

Assista ao vídeo do dia que a Reserva se mudou para São Cristóvão.
Aponte a câmera do seu celular para a imagem e assista ao vídeo.

Manifesto da marca,
que estampa a recepção
da nossa sede.

O LUCIANO HUCK É SÓCIO?

Um dia liguei a TV e o Luciano Huck estava usando uma camisa polo da Reserva. Aquela seria a primeira das centenas de vezes em que ele, espontaneamente, carregaria o nosso pica-pau no peito.

Algo fez com o que o Luciano nos escolhesse entre os diversos produtos que a Globo escolhia em lojas bacanas para dar opção de figurino aos seus apresentadores.

Sem saber, virou o nosso primeiro garoto-propaganda, e isso foi tão relevante que, por algum tempo, muita gente chamou a Reserva de "a marca do Luciano Huck".

Sem querer, Luciano nos ajudou muito comercialmente. Era o início do negócio, e o endosso do maior apresentador da TV brasileira impulsionou muito nossas vendas para lojas multimarcas.

Em meados de março de 2012, recebi o telefonema de Rodrigo Cebrian, o Palito, na época diretor do Caldeirão do Huck. Eles iriam gravar o quadro "Lar Doce Lar" numa ONG chamada Favela Surf Club (FSC), uma escola de surfe montada dentro da comunidade do Cantagalo, em Ipanema.

O Caldeirão não apenas reformaria a FSC como também montaria lá dentro uma pequena loja de surfe. Num brainstorming criativo, o Luciano sugeriu que aquela marca que por tanto tempo ele vestia desenvolvesse uma pequena coleção de camisetas para a instituição. Eles entregariam a loja já com um estoque de camisetas.

Obviamente, topamos na hora. Fizemos uma coleção bacanuda e demos uma mala de roupas de presente para o Naamã, aluno da ONG e personagem da reportagem, que iria junto com o Luciano conhecer o mito do surfe Kelly Slater, nos Estados Unidos.

O quadro foi superemocionante. Deu tudo certo, e, no final do programa, o Luciano gentilmente pegou uma das camisetas que desenhamos e fez um agradecimento especial a nós e à marca.

Dias depois, recebi um e-mail do Luciano, me agradecendo pela parceria e convidando para um almoço para que, enfim, nos conhecêssemos.

VOLTANDO!

No almoço, Luciano me contou sobre a vontade de ser sócio de marcas que ele usava e nas quais acreditava. Negócios cuja participação ele compraria e deixaria para seus filhos.

Para nós, parecia ser uma parceria perfeita. Aquele que talvez fosse o maior garoto-propaganda do país compraria um pedaço da Reserva por adorar a marca e, principalmente, por acreditar na nossa capacidade de levá-la muito longe.

Além disso, nos pareceu justíssimo que ele participasse na sociedade após toda a divulgação que já havia feito de maneira 100% espontânea.

O Luciano comprou 10% do capital da Reserva, e desde 2012 tem sido um grande amigo, além de um excelente sócio.

É uma das pessoas mais inteligentes e generosas que conheço e tem uma gigantesca capacidade de atrair talentos e colecionar amigos.

Sempre esteve ao nosso lado, no erro e no acerto, e jamais, como sócio, nos levou a fazer algo que não quiséssemos.

Com a palavra, Luciano Huck.
Aponte a câmera do seu celular para a imagem e assista ao vídeo.

Luciano foi nosso primeiro
garoto propaganda
e de maneira totalmente
espontânea.

📷 **COMPARTILHE ESTA IDEIA!**

"CRIATIVIDADE É FAZER O NOVO AO REORDENAR O VELHO."

MIKE VANCE

@RESERVA

OS CULPADOS

RESERVA PRODUCTIONS PRESENTS

FERNANDO SIGAL   ZÉ ALBERTO   JAYME NIGRI   RONY MEISLER

QUATRO LOUCOS E UM PICA-PAU

A TRAMA SE PASSA NUMA ACADEMIA DE GINÁSTICA NO RIO DE JANEIRO. OS AMIGOS DE INFÂNCIA RONY E FERNANDO PERCEBEM QUE TODOS USAM A MESMA BERMUDA SEM GRAÇA. "BORA CRIAR ALGO DIFERENTE?". NASCIA A RESERVA. A PRIMEIRA PEÇA DE ROUPA DA MARCA, UMA BERMUDA, ESTAMPAVA UM GRITO CONTRA A MESMICE: "SEJA VOCÊ MESMO MAS NEM SEMPRE O MESMO". VENDERAM TUDO. O RESTO, COMO DIZEM, É HISTÓRIA. DA PRIMEIRA BERMUDA ÀS 2 MILHÕES DE PEÇAS VENDIDAS POR ANO, O QUE MUDOU FORAM APENAS OS NÚMEROS. RONY, FERNANDO, ZÉ E JAYME CONTINUAM O COMBATE AO "MAIS DO MESMO" E USAM ROUPA COMO PLATAFORMA DE COMUNICAÇÃO COM O MUNDO. HOJE SÃO QUASE 1.000 PESSOAS QUE ESCREVEM A HISTÓRIA DA RESERVA TODOS OS DIAS. UMA HISTÓRIA DE PAIXÃO PELO QUE SE FAZ, TESÃO DE FAZER MELHOR, AMOR PRA FAZER JUNTO E SORRISO NO ROSTO SEMPRE. QUE SEJA RESERVA. SEMPRE.

NOVOS NEGÓCIOS

DE UM LIMÃO...

Já há algum tempo vinha pensando em soluções para a menor sazonalidade dos nossos estoques. No entra e sai de coleção, a cada semestre, milhares de peças de roupas que sobravam tinham que ser recolhidas das lojas e armazenadas no nosso Centro de Distribuição. Aquilo me parecia pouco sustentável.

Um dia, recebemos a visita de um fornecedor israelense que estava trazendo para o Brasil uma impressora têxtil. Isso mesmo: em vez de papel, a máquina imprimia em camisetas. Bastava colocar uma camiseta básica já costurada na prancha da impressora que ela imprimia qualquer arte.

Ali, para mim, a conta fechou. Nós estocaríamos camisetas básicas lisas, nas cores branca, preta, azul, amarela etc., e só estamparíamos aquelas que vendessem, eliminando o risco de encalhe de uma ou outra estampa. Poderíamos também montar um site com centenas de milhares de estampas sem que tivéssemos aquilo no estoque. O processo seria 100% feito sob demanda. Comprou, estampou, entregou.

Resolvemos testar aquele modelo em uma marca que lançaríamos exclusivamente na internet.

Alguns dias depois, saiu na imprensa uma nota dizendo que Luciano e sua esposa Angélica lançariam uma marca de roupas que levaria seus nomes. Enviei um e-mail para o Luciano perguntando se era verdade, e, se fosse, por que não a faríamos juntos. Na resposta, ele negou a veracidade da nota, mas disse ter gostado da ideia.

Na época, estávamos iniciando uma nova marca no Grupo, com foco em *workwear*. A marca era liderada pelo talentosíssimo Pedro Cardoso, um dos fundadores da marca Ausländer, contemporânea da Reserva.

Além de gestor, o Pedro é um dos melhores diretores de arte que conheço. Eu disse a ele que gostaria de montar uma marca de "camisetas do bem". As estampas se inspirariam em projetos ou problemas sociais do país e 5% do faturamento bruto da camiseta iria para a causa inspiradora.

O nome da marca seria Use Huck. Montaríamos uma estrutura independente da Reserva para tocar a operação, sob a gestão do Pedro.

Criamos uma nova empresa da qual o Grupo Reserva e a Joá Investimentos, fundo de investimentos do Luciano, eram sócias. Montamos o time e colocamos o site de pé em quatro meses.

Com tudo pronto, combinamos que o Luciano faria o tweet de lançamento e ficamos a postos. A postagem do Luciano e sua repercussão em outras mídias trouxeram, em média, 8 mil usuários por minuto durante a hora posterior. O site caiu e não voltava de jeito nenhum. Foi um desespero, mas a gigantesca demanda inicial nos deu a certeza de que a visão estava correta.

Em poucos meses, a Use Huck lançava mais de trezentas estampas por mês, das quais vendia mais de 10 mil peças. Além de testar um novo modelo de gestão de estoque, havíamos criado um baita negócio legal.

Foi muito bom enquanto durou. Quatro anos após o lançamento da marca, cometemos um grave erro. Como eram muitas estampas criadas todos os meses, nós não fotografávamos modelos usando todas elas. Tínhamos fotos de modelos, homens, mulheres e crianças usando camisetas básicas e aplicávamos a estampa diretamente na imagem que subiria para o site, usando o Photoshop.

Perto do carnaval de 2014, o coordenador de arte da Use Huck virou uma noite aplicando artes em fotografias de uma pequena coleção de carnaval, e, por engano, aplicou uma arte de uma camiseta da coleção adulta na imagem de uma criança. Na arte, lia-se: "Vem nimim que eu tô facim".

Não levou mais do que duas horas para que percebêssemos o erro e retirássemos a arte do site. Ainda assim, aquilo, obviamente, causou um tsunami de repercussão negativa na internet, que não foi totalmente neutralizada, mesmo após explicarmos o erro do ponto de vista técnico e pedirmos desculpas publicamente.

Ali percebemos que o nome do Luciano jamais poderia ser um negócio. Primeiro porque, por mais que ele não estivesse diretamente envolvido no dia a dia do negócio, as pessoas nunca entenderiam dessa forma. Depois, porque em qualquer caso de erro, por menor e mais comum que pudesse ser (o que não foi o caso da camiseta infantil), ele teria uma repercussão muitíssimo maior por se tratar da marca do Luciano – e todo negócio comete erros.

O fato é que nem nós nem ele queríamos mais essa responsabilidade, e por isso resolvemos terminar com a operação. Enquanto durou, a Use Huck empregou 52 brasileiros, foi um excelente negócio e possibilitou a doação de mais de R$ 500 mil para ONGS e instituições filantrópicas.

Estampas de camisetas das
parcerias com Mussum e
Caymmi: baita limonada.

GTi &
GSi &
XR3.

... UMA LIMONADA

Boa parte das empresas do mundo demitiriam os líderes de um negócio que comete um erro como o da Use Huck.

Entretanto, nós e o Luciano, que continuou como sócio na holding, seguimos acreditando no poder de gestão do Pedro. Tínhamos certeza de que, depois de um fracasso como esse, ele tinha aprendido muito e que se reorganizaria para a construção de um novo negócio.

Quando a Use Huck terminou, ficamos com três máquinas paradas e um grande estoque de camisetas básicas. Então, o Pedro me chamou para tomar um café e falar sobre uma ideia que teve.

Naquele momento, crescia a indústria do conteúdo on-line. Blogs, sites, canais de YouTube e de mídia social transformavam pessoas comuns em verdadeiras celebridades da noite para o dia. Pedro percebeu que aqueles novos canais não tinham lojas.

— E se nós fôssemos a loja de camisetas de todos esses canais? — perguntou.

Nós montaríamos lojas de camisetas integradas aos canais de conteúdo e cuidaríamos de tudo, da criação das estampas ao faturamento das peças. Genial!

Hoje, cuidamos de dezenas de lojas de canais como Acelerados, Thiaguinho, UseDez, Mussum, Caymmi e muitos outros.

Com a palavra, Pedro Cardoso. Aponte a câmera do seu celular para a imagem e assista ao vídeo.

—

"NA RESERVA, O ERRO É APRENDIZADO."

—

LUCIANO HUCK

IDEIAS QUE COPIAMOS

Chris Anderson, em seu livro *A cauda longa*, diz:

"Cada varejista tem seu próprio limite econômico, mas todos definem algum ponto de corte em seus estoques. O que se espera que venda uma quantidade mínima é mantido em estoque; o resto fica fora [...].

Hoje, mais de 99% dos CDs existentes no mercado não estão à venda no Walmart. Dos mais de 200 mil filmes, programas de televisão, documentários e outros vídeos que foram lançados comercialmente, uma loja típica da Blockbuster oferece apenas 3 mil. [...] Quando se é capaz de reduzir drasticamente os custos de interligar a oferta e a demanda, mudam-se não só os números, mas toda a natureza do mercado.

E não se trata apenas de mudança quantitativa, mas, sobretudo, de transformação qualitativa. O novo acesso aos nichos revela demanda latente por conteúdo não comercial e sim emocional.

Então, à medida que a demanda se desloca para os nichos, a economia do fornecimento melhora ainda mais, e assim por diante, criando um *loop* de feedback positivo, que metamorfoseará setores inteiros e a cultura – nas próximas décadas."

Sem querer, o Pedro transformou o limão que a vida lhe deu numa baita cauda longa de limonada. Chamamos a "limonada" do Pedro de ReservaUr, que hoje vende mais de 20 mil camisetas por ano, o dobro do que alcançávamos com a Use Huck. O Ur tem mais de 2 mil camisetas à venda no site, mas nenhum, repito, nenhum item em estoque. Absolutamente tudo é impresso e produzido *on demand*.

Para nós, ele é motivo de enorme orgulho porque é o exemplo vivo daquilo que mais gostamos de pregar para nossa turma: a valorização do fracasso como a maior das ferramentas de aprendizado na vida.

RESERVA +

O medo é o maior inimigo da inovação.

Eu sempre senti falta de eventos e locais de convivência artística e cultural no Rio de Janeiro.

Então, corajosamente, não pensamos duas vezes quando, em 2012, pintou a oportunidade de pegarmos uma loja de 80 metros quadrados na Galeria River, reduto do surfe carioca na década de 1990.

Alugamos o espaço e a ele demos o nome de Reserva +. O que venderíamos ali? Nada, absolutamente nada. Seria um espaço cultural da marca, gratuito, no qual ela poderia conviver com seus consumidores através da arte e da cultura; por isso o "+".

Rapidamente, a Reserva + virou um point carioca. No espaço ocorriam dois ou três shows musicais por semana, um espetáculo de teatro por mês e uma exposição de arte por semestre. Circulavam ali nomes como Leo Jaime, Maria Gadú, Dado Villa-Lobos, Qinho, Nina Becker, Thalma de Freitas, Bondesom, La Vereda e Lettuce.

Só que, apesar de o espaço fechar pontualmente às 21h, começamos a receber reclamações de vizinhos se queixando do barulho, seguidas por notificações da Prefeitura. Aquilo começou a nos aborrecer demais; estávamos investindo muito dinheiro para distribuir arte e cultura gratuitamente e as pessoas reclamavam.

A Reserva + tinha um pequeno bar em que vendíamos apenas cerveja e café. Com o crescimento do fluxo, umas 8 mil pessoas passavam por ali a cada mês, o bar ficou pequeno e tivemos a ideia de aumentá-lo um pouco para oferecer drinks mais sofisticados e comidinhas gostosas e rápidas.

Em conversa com o Jorge Espírito Santo, amigo e diretor de TV, comentei que procurava alguém para assinar o cardápio do espaço. O Jorjão me disse que eu deveria conhecer o Claude Troisgros, e fez a conexão.

Marcamos na Reserva + e o Claude trouxe o Thomas, filho dele e jovem prodígio da culinária carioca. Foi uma conversa deliciosa. Os chefs me contaram sobre a vontade de montar uma polpetoneria – que rapidamente desencorajei. Em seguida, engatamos uma conversa a respeito da falta que fazia uma casa no Rio que oferecesse um hambúrguer legitimamente carioca. Sempre que viajava para fora do país, a primeira coisa que fazia era perguntar aos *concierges* dos hotéis onde poderia comer um hambúrguer local. No Rio, quando você pergunta a mesma coisa, te recomendam alguma rede americana ou australiana.

O Thomas disse que o mesmo acontecia com ele, e sugeriu que abríssemos então uma hamburgueria. No dia seguinte, já estávamos lá com o arquiteto dos restaurantes dos Troisgros, medindo o espaço.

Duas semanas depois cheguei ao escritório e um oficial de justiça me entregou uma nova notificação da Prefeitura, dessa vez nos obrigando a fechar a Reserva +. Fiquei louco de raiva e procurei o Jayme no escritório para entender o que poderíamos fazer. No meio da conversa, meu telefone tocou. Era o chef Claude:

— Rrróny, estou aqui com o arrrquitét. Fecha esta mérrd que só te dá dórr de cabéç e vamos abrir um hamburguerri no espaçç inteirrro!

Foi, literalmente, a união da fome com a vontade de comer. Se a Prefeitura nos mandava fechar a Reserva +, abriríamos a hamburgueria.

Durante as obras, enchemos a fachada de lambe-lambes coloridos nos quais se lia: "Quando a criatividade fala, uma enorme quantidade de resistência responde."

RESERVA T.T. BURGER

Resolvemos que a hamburgueria se chamaria Reserva T.T. Burger, T.T. de Thomas Troisgros, o gênio por trás do produto.

Combinamos que, operacionalmente, a Reserva ficaria responsável pelo branding e pelo marketing – "do balcão para a frente" – e que os Troisgros ficariam responsáveis pelo produto e pela operação: "do balcão para trás".

Sob o ponto de vista do produto, a única coisa que falei para o Thomas foi que tinha que ser 100% brasileiro; afinal, dessa necessidade havia nascido o negócio.

O Thomas embarcou para uma viagem de pesquisa em Nova York e, semanas depois, nos chamou para uma "primeira degustação" do hambúrguer no Olympe, principal restaurante da família, no Rio.

Fomos preparados para uma primeira degustação, mas o produto já era o definitivo. Que espetáculo! Pão de batata-doce feito numa padaria do Complexo do Alemão, queijo de minas Solidão, picles de chuchu com cebola e ketchup de goiaba. Para completar, a Carol, irmã do Thomas, fez o melhor milk-shake que já tomei na vida e propôs que o incluíssemos no cardápio.

Com o produto pronto, fiquei responsável por algumas coisas, a começar pelo branding e pela experiência em loja.

Decidi que o cardápio teria apenas três itens: o hambúrguer, a batata frita e o "sacode" de leite (porque no T.T. tudo era em português: milk-shake é o escambau!).

Na boca do caixa, o cliente poderia tirar um dos seis ingredientes do sanduíche completo. Além disso, sugeri que a operação fosse 100% de autosserviço, sem atendimento nas mesas, o que eliminava boa parte do custo operacional.

Chamei a turma da nossa criação e pedi que tanto a embalagem quanto a sinalização de loja conversassem com os clientes. Daí nasceram as famosas frases:

"Fritas com amor" – para batatas fritas.

"Belisque durante o caminho" – nas embalagens para viagem.

"Juquinha mandou lembranças" – para as balas Juquinha que distribuímos gratuitamente na loja.

"Periquitas" – na porta do banheiro feminino.

"Pica-paus" – na porta do banheiro masculino.

"Espelho, espelho meu..." – nos espelhos da loja.

"El Matador" – no papel que envolve o hambúrguer.

E por aí vai...

Também fiquei responsável por pensar na ação de lançamento da marca, que contava com um modesto orçamento.

Alguém sugeriu que fizéssemos uma festa de lançamento, mas eu saí de lá pensando na razão de as pessoas fazerem eventos de inauguração de restaurantes. A resposta era simples: para os convidados experimentarem o produto, voltarem depois e pedirem aos amigos que fizessem o mesmo.

O problema é que nem todo mundo gosta de ir à festa de inauguração e, dos que gostam, boa parte pode ter outros compromissos na mesma data e horário.

Como a obra demoraria noventa dias e o sanduíche já estava pronto, eu queria começar o barulho da marca antes da inauguração. Então pensei num plano de duas ações que possibilitariam que as pessoas experimentassem o produto e posteriormente o divulgassem.

A Reserva + foi palco de centenas de shows, peças e exposições. Na foto ao lado, a fachada coberta de lambe-lambes, quando fechamos o espaço.

De cima para baixo: o Matador de Fome, os sacodes de leite e a fila interminável que se repete a cada inauguração de loja.

Primeiro, sugeri que colocássemos um grill na garagem do Olympe e chamássemos apenas amigos formadores de opinião para uma degustação, com posterior feedback sobre o produto.

Convidamos duzentas pessoas, abrimos a garagem, montamos o grill e uma mesa com papéis para que escrevessem suas opiniões. O próprio Thomas grelhava e servia os sanduíches.

Recebemos trinta opiniões, todas levadas em consideração para aperfeiçoar o produto, mas o que surpreendeu mesmo foi a divulgação: quase todos os influentes convidados postaram em suas redes fotos daquela deliciosa iguaria que estavam experimentando. E começou o buchicho.

A segunda ação foi pegar o dinheiro que seria destinado para a festa e converter em sanduíches. Pelo cálculo, conseguiríamos comprar mil hambúrgueres. Pedi que nossa agência desenhasse tíquetes dourados, iguais aos do filme *A fantástica fábrica de chocolate* – o prêmio era hambúrguer grátis, com um mês de prazo para vir à loja experimentar.

Isso trouxe dois enormes benefícios. Tivemos 100% de resgate, pois em um mês todo mundo conseguiu disponibilidade para vir e, nas primeiras semanas, a fila para retirada era enorme. Isso fazia com que as pessoas que passavam de carro na porta da loja tivessem a sensação de que o local estava bombando – e movimento traz mais movimento.

No fim, em vez de gastarmos dinheiro com uma festa, havíamos ganhado algum, porque na retirada do hambúrguer as pessoas sempre compravam mais coisas: batata frita, sacode de leite, bebidas etc.

Nas projeções que fizemos antes de abrir o Reserva T.T. Burger, calculávamos vender quinhentos sanduíches por mês, mas trinta dias depois havíamos vendido 10 mil.

Após seis meses, inauguramos a segunda casa, no Baixo Leblon, e, um ano depois, a terceira, na avenida Olegário Maciel, na Barra da Tijuca. Todas dentro da média dos 10 mil sanduíches por mês.

QUEM AMA CUIDA

Nós montamos o Reserva T.T. Burger porque gostávamos de hambúrguer, sem jamais imaginar que ele cresceria tanto e tão rápido.

A questão é que o negócio principal da Reserva era o comércio de roupas e, por isso, entendemos que havia chegado a hora de vender nossa participação para alguém que pudesse controlar e expandir aquele supersônico que, despretensiosamente, havíamos montado.

Fizemos uma avaliação e encontramos três potenciais compradores. Porém, algo me incomodava: por mais que eu soubesse que manter o negócio sob nossa gestão seria uma irresponsabilidade, por outro lado era como se eu estivesse passando adiante um filho.

Então, às vésperas de vender nossa participação para um grande grupo carioca de gastronomia, tive uma ideia. Meu irmão André trabalhava no Banco Pactual e pensava em sair para empreender. Já Annete, esposa do Zé Alberto, havia sido franqueada do McDonald's e conhecia profundamente a operação de fast food. E se eles comprassem a nossa parte?

Nós sairíamos da operação, mas, de certa forma, o negócio continuaria em família. E assim foi. O pica-pau saiu da marca, mas nossa alma continua lá até hoje.

O T.T. Burger hoje é lindamente operado pelo meu irmão, pela Annete, pelo Thomas e por um grupo de notáveis que cresce sem parar: hoje já são cinco casas: Leblon, Arpoador, Centro, Botafogo e Barra da Tijuca. São gestores não apenas do melhor hambúrguer do país, mas de um negócio de enorme impacto social, que organiza mutirões mensais para distribuir hambúrgueres para moradores de rua nas madrugadas cariocas.

Em sentido horário: primeira loja no Arpoador (ainda com o pica-pau na marca), loja do Leblon, Thomas e eu na companhia do Matador de Fome, ticket dourado que teve 100% de resgate e ação do Muttirão.

Conheça o Muttirão, campanha do T.T. que doa hambúrgueres para moradores de rua. Aponte a câmera do seu celular para a imagem e assista ao vídeo.

📷 **COMPARTILHE ESTA IDEIA!**

—

"O PESSIMISTA VÊ DIFICULDADE EM CADA OPORTUNIDADE. O OTIMISTA VÊ OPORTUNIDADE EM CADA DIFICULDADE."

—

WINSTON CHURCHILL

@RESERVA

Loja do T.T. Burger no Leblon: projeto pensado pra "falar com o cliente" do balcão até o saquinho da batata, sempre com o bom humor herdado da "mãe Reserva".

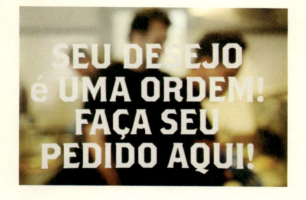

RESERVA MINI

A marca Company, ícone dos anos 1990, é nosso maior *benchmarking*. Quando eu era pequeno, meus pais me vestiam de Company da cabeça aos pés, hábito que fiz questão de manter na adolescência.

As marcas normalmente envelhecem com seus fundadores e, por isso, pensava que se conseguíssemos emplacar uma versão infantil teríamos uma ancoragem de juventude eterna.

A nossa visão era a de que a Reserva Mini seria a porta de entrada da Reserva adulta, tornando essa migração uma decisão automática na cabeça de nossos consumidores adolescentes.

Por isso, quando a Juliana Almeida nos disse que nossos clientes multimarcas estavam pedindo uma marca infantil, não pensamos duas vezes e compramos a ideia.

Não reinventaríamos a roda. O modelo de negócios seria o mesmo. Começaríamos pelas multimarcas e, após escalar em volume de vendas, partiríamos para o varejo.

A Reserva Mini já nasceu com o compromisso de jamais ser uma marca fofinha para crianças. Acho que, pelo fato de sermos crianças grandes, olhamos a questão sob o ponto de vista delas – nós nos recusaríamos a usar o que nossos pais queriam. Num mercado de tons pastel e personagens infantiloides estampados nas roupas, obviamente acabamos nos destacando.

A Mini é, literalmente, a miniatura da Reserva, em termos de produto. Suas coleções têm a mesma ironia e irreverência da marca-mãe: tal pai, tal filho.

Operacionalmente, a Mini nasceu como um "puxadinho" da Reserva. Os mesmos times, do produto ao comercial, faziam a Mini.

Os primeiros pedidos em showrooms foram muito promissores e nos enchiam de expectativa. Até que cometemos

📷 **COMPARTILHE ESTA IDEIA!**

—

"NUNCA TENHA MEDO DE CRIAR ALGO NOVO. LEMBRE-SE: OS AMADORES CONSTRUÍRAM A ARCA DE NOÉ. PROFISSIONAIS CONSTRUÍRAM O *TITANIC*."

—

AUTOR DESCONHECIDO

@RESERVA

Lojas da Reserva Mini:
um erro que deu muito certo.

um enorme erro: uma de nossas compradoras inseriu dois zeros a mais na quantidade de um pedido da marca.

Ficamos desesperados e convocamos uma reunião às pressas, com a turma toda. Nela, decidimos que, para escoar o pedido errado, colocaríamos *corners* da Mini em todas as lojas da Reserva.

Sem saber, estávamos inventando ali um grande negócio. No primeiro mês após a entrada dos corners (espaços da Mini dentro das lojas da Reserva), eles já haviam criado 6% a mais em vendas para as lojas.

Com esse desempenho, sentimos que ou criávamos autossuficiência operacional para a marca ou ela jamais alcançaria seu potencial.

Hoje, a Mini faz coleções completas, de calçados a alfaiataria, com tamanhos que cobrem desde os recém-nascidos até as crianças de 12 anos. Recentemente, lançamos a Reserva Mini para meninas dentro da mesma faixa etária.

São atualmente onze lojas próprias da Mini, e, além disso, a marca é distribuída por meio de corners nas lojas da Reserva, internet (usereservamini.com) e através de trezentas multimarcas em todo o país.

Com um timaço para chamar de seu e sob a batuta da Carol Portella, a Mini representa aproximadamente 20% do nosso faturamento total e tem enorme potencial de crescimento nos próximos anos para o Grupo.

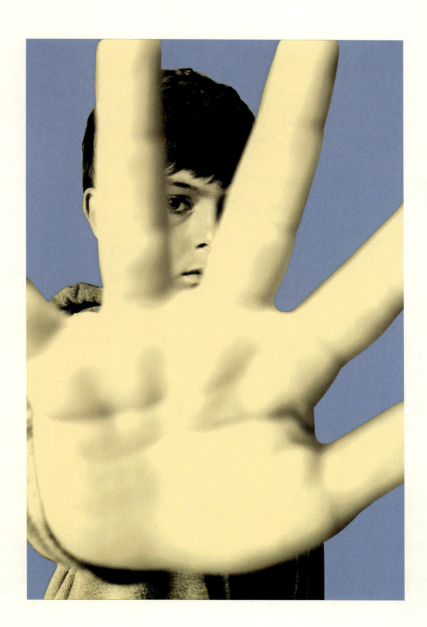

Meninos, meninas e bebês: juntinhos. Assista à campanha. Aponte a câmera do seu celular para a imagem e assista ao vídeo.

EVA

Há tempos queríamos lançar uma marca feminina, mas faltava um líder que tivesse visão de negócios semelhante à nossa.

Nós conhecíamos a Priscila Barcelos havia muitos anos. Ela já tinha cuidado da área de Estilo de várias marcas que admirávamos.

Conversamos com ela e nos empolgamos com a possibilidade de colocarmos de pé o sonho de uma marca para mulheres:

> *"Eva nasceu não para ser a mulher do homem da Reserva, e sim para que ele seja o homem dela.*
>
> *Eva é senhora de si, independente. Ela é também afetiva e não tem pudor ao falar sobre seus altos e baixos emocionais.*
>
> *Eva é amada por suas amigas e família."*

A Pri montou um time de marca e produto e, como sempre fazemos, iniciamos a venda pelo atacado, em 2012. Foi um sucesso comercial e uma catástrofe operacional.

Vendemos muito no atacado, mas descobrimos que não tínhamos estrutura para gerir qualidade e entrega. As multimarcas já nos sinalizavam que a operação de uma marca feminina era muito diferente de uma masculina.

Ainda assim, no final de 2013, abrimos a primeira loja, no coração de Ipanema. A experiência Eva coloca sua consumidora no centro do mundo. A loja tem bar de champanhe, um pequeno salão de beleza e até um spa.

Para a inauguração, fizemos uma mala direta para clientes em potencial. Mandamos flores e chocolates para as casas das "amigas" com uma carta assinada pela Eva, convidando-as para a inauguração de sua casa.

Começou um megabuchicho nas mídias sociais com postagens das flores! Em novembro de 2013, inauguramos a loja.

Campanha de Verão 2017 da Eva, com participação da Karol Conka, e o Inverno 2017 inspirado por David Bowie.

Assista à campanha aqui.
Aponte a câmera
do seu celular para a
imagem e assista
ao vídeo.

122

Sucesso! As vendas já começaram muito acima da média da venda de uma loja Reserva.

Nós nos achamos o máximo! Havíamos acabado de inaugurar o T.T. Burger e já emplacávamos um segundo sucesso. Como éramos tolos...

Normalmente, quando começamos a achar que somos "os" caras, pode ser o começo do fim. Empolgados com os resultados da primeira loja, rapidamente abrimos mais duas: Rio Design Barra e Shopping Leblon.

Naquele momento, a Reserva estava num plano de expansão frenético, e, como achávamos que a Eva já estava pronta, deixamos que ela crescesse solta. Havíamos nos esquecido de quanto trabalhamos para levar a Reserva até onde ela estava.

A Pri é uma das pessoas mais trabalhadoras e apaixonadas pelo trabalho que eu já conheci, mas o perfil dela é criativo, não administrativo ou comercial. Nós a abandonamos para focar na Reserva e, como consequência, após seis meses bombando, as vendas começaram a despencar.

No final de 2014, nos demos conta de que a Eva era uma operação deficitária e completamente desfocada comercial e administrativamente. Culpa 100% nossa. A falta de humildade nos cobrava um preço altíssimo.

Chamei o Nandão para uma conversa e fizemos um pacto: recomeçaríamos tudo. Só que, dessa vez, como havíamos feito com a Reserva, com muito amor e umbigo no balcão.

Entendemos, entre tantas coisas, que, a princípio, o foco da Eva deveria estar no produto. De nada adiantava uma boa comunicação se o mix era incompleto e a qualidade, ruim.

A mulher compra o produto, muito mais do que a experiência. De nada adiantava o bar de champanhe se o produto não atendia nossas consumidoras.

Nandão assumiu como gestor da marca e ajudou a Pri a reestruturar o time de Estilo. Eles deixaram claro a todos quem era Eva e como ela deveria se vestir. Depois, dividiram o planejamento das coleções por modo de uso (dia a dia, festa, praia, trabalho etc.) de maneira que pudéssemos oferecer opções para todos os momentos da vida de nossas consumidoras.

Além disso, Nandão tomou a decisão de suspender, provisoriamente, as vendas em multimarcas. Enquanto nossos times não garantissem entrega e qualidade, não venderíamos nenhuma peça. Concordei.

Para completar, com base em nossa experiência na Reserva, criamos um plano de dez passos a serem implementados em dezoito meses, de maneira a levar Eva ao lugar que ela merecia. O plano contemplava todas as áreas estratégicas da marca. Uma verdadeira revolução, do produto ao logo e à arquitetura de loja.

DEZ PASSOS DE EVA:

1. Criativamente, assumir a personalidade da Priscila como a da mulher Eva, sem nenhuma influência do que seria a mulher Reserva, mais sofisticada e fashionista.
2. Reestruturar o time de Estilo para a nova entrega de produto.
3. Dividir o mix por modo de uso de maneira a vestir a mulher Eva em todas as ocasiões de sua vida.
4. Ter a melhor qualidade de produto do mercado.
5. Retirar pica-pau e dar vida própria à marca. Mudar todo o *packaging*.
6. Reformar todas as lojas de maneira que fiquem condizentes com a sofisticação do produto.
7. Investir pesadamente na comunicação da marca por meio das mídias sociais e assim criar base de comunicação para um futuro e-commerce.
8. Montar um time comercial exclusivo e independente da Reserva.
9. Dar foco à venda em lojas próprias, restringindo a comercialização em multimarcas para poucos revendedores autorizados.

10. Investir em campanhas que valorizem o produto sem deixar de enfatizar a personalidade da marca. Escolher uma personagem "incomum" por campanha.

Quando os dez passos já tiverem sido dados, a marca estará pronta para o *roll-out* para todo o país.

Passados quase dois anos do início do plano, a marca continua lançando coleções de altíssima qualidade, com vendas altas e um time cada vez mais apaixonado. Independentemente do sucesso comercial, Eva foi para nós um mestrado. Com ela, aprendemos que nos negócios jamais devemos acreditar que somos imbatíveis. Eva nos relembrou de que uma marca cresce na proporção em que lhe damos amor. E a base do amor é a presença.

Eva será maior do que a Reserva.

Com a palavra, Priscila Barcelos. Aponte a câmera do seu celular para a imagem e assista ao vídeo.

Gisella Amaral,
estrela da campanha
de Inverno 2016 da Eva.

"JÁ VIVEMOS DE TUDO JUNTOS, E NOS MOMENTOS MAIS DIFÍCEIS NENHUM DE NÓS SEQUER COGITOU DESISTIR."

— PRISCILA BARCELOS

PENETRAS

Não temos a pretensão de acreditar que nossos consumidores se vestirão de Reserva da cabeça aos pés. Portanto nos pareceu lógico a revenda de outras marcas em nossas lojas. Para que fazer nossos clientes rodarem o shopping inteiro, se eles poderiam comprar o que desejam num único lugar?

Em 2013 resolvemos desenvolver uma nova área de negócios para cuidar de parcerias estratégicas. O Penetras (assim batizado porque as marcas que admiramos não precisam de convite para a nossa festa) é uma curadoria de acessórios e calçados de outras marcas que revendemos em nossas lojas e site. Como o tamanho da prateleira on-line é ilimitado, oferecemos um mix até dez vezes maior de marcas no site.

O Departamento Penetras cuida da compra para revenda on-line e off-line e estabelece contratos de licenciamento da marca Reserva para outras categorias de produto que não seja a de vestuário. Hoje revendemos Nike, New Balance, Vans, Vert, Herschel, Livo Eyewear, entre outras. Em relação ao licenciamento da marca Reserva, assinamos o primeiro contrato, em 2014, para calçados. Em 2017 lançaremos parcerias para óculos, relógios e cosméticos Reserva.

A revenda de outras marcas traz menos da metade da margem de lucro quando comparada com a marca própria, mas entendemos que a comodidade do consumidor é muito mais importante do que nossa margem de lucro.

◉ COMPARTILHE ESTA IDEIA!

—

"A CULTURA
COME A
ESTRATÉGIA
NO CAFÉ
DA MANHÃ."

—

PETER
DRUCKER

@RESERVA

A CULTURA RESERVA

Não pretendemos neste livro "manualizar" nosso sucesso. A ideia é apenas contar ao leitor sobre tudo aquilo que acreditamos na vida – e nos negócios, por consequência.

É da nossa cultura, e não da nossa estratégia, que nasceu, e sempre nascerá, a nossa prosperidade.

IDEIAS QUE COPIAMOS

Em *Diferente*, a autora americana Youngme Moon dedica-se a explicar o que faz uma marca ou um negócio ser diferente dos demais. Ela dedica todo um capítulo ao *status quo*, isto é, o padrão do mercado.

Infelizmente, a maior parte dos negócios é movida única e exclusivamente por sua lucratividade. Então, quando um negócio dá muito certo, é estabelecido um novo padrão de mercado, seguido e imitado como se não houvesse outro caminho para o sucesso.

A consequência, a longo prazo, é que o *status quo* acaba levando à mesmice. Um monte de negócios iguais, o que, por sua vez, gera automaticamente a necessidade de que se estabeleça um novo *status quo*. Um círculo chato e vicioso.

Ainda segundo Youngme Moon, o *status quo* não é uma reta em um gráfico, mas uma seta apontada para um lugar do mundo que todos os competidores acreditam ser o único viável. Quando isso se estabelece, os fundadores ignoram suas características de diferenciação para focar nas que fazem parte do padrão.

Vamos, entretanto, imaginar que uma marca ignore o *status quo*. O que pode acontecer? A autora afirma – e concordo com ela – que, por não saber da existência do padrão, a marca passa a focar em suas características de diferenciação, o que provavelmente a tornará ainda mais singular, fazendo com que até suas características consideradas abaixo do padrão de mercado sejam valorizadas e elevadas de patamar.

No final, o negócio que ignorou o *status quo* vai se destacar e – ironia! – provavelmente se tornará o novo padrão de mercado.

A autora conclui que os negócios eternos serão aqueles que terão um único medo: o medo de se tornarem reféns do padrão de mercado. Contra isso, eles contam com a crença e o investimento em seu ciclo de inovação, independentemente do sucesso comercial que estejam fazendo.

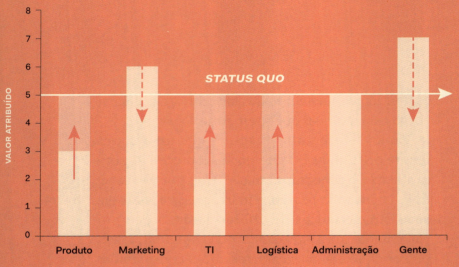
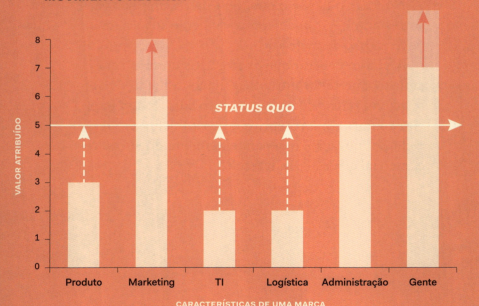

O pico do sucesso é o melhor momento para uma mudança radical, e isso só é possível se, acima do dinheiro, acreditamos naquilo e amamos o que fazemos.

Quando começamos a Reserva, aqueles que pretendíamos ter como nossos clientes usavam uma mesma marca nacional. Naquele momento, todas as marcas seguiam as tendências lançadas por ela.

Pelo fato de não termos vindo do mercado de moda, e, por consequência, não compreendermos suas regras na época, nem por um momento pensamos em fazer o que os outros faziam.

Éramos, por vocação, mais inovadores na comunicação do que no produto, e amávamos a possibilidade de dar liberdade e poder aos nossos times de vendas para que surpreendessem nossos clientes. Portanto, naturalmente focamos em fazer aquilo que gostávamos, em vez de fazer o que os outros faziam. Foi o que acabou nos diferenciando.

A total falta de experiência prévia nos permitiu questionar tudo o que era até aquele momento mercadologicamente inquestionável.

O inconsciente coletivo das marcas de moda funciona mais ou menos assim:

"Eu, criador(a), tenho um estilo de vida melhor do que o seu, e vou fazer o favor de deixá-lo usar um pedacinho do meu estilo de vida."

Sob o ponto de vista comercial, esse modelo mental é interessante, porque a exclusividade desperta o desejo de consumo. Entretanto, sob o ponto de vista comportamental, antropológico e até filosófico, não há nada mais desprezível do que isso.

Sabe aquela mesa mais bacana do boteco preferido? Mesa cheia de gente bacana, bebendo e falando sobre as coisas da vida? A mesa de onde ecoam risadas e tons mais altos de vozes?

Nela sempre há discussões calorosas, mas afetuosas. Nela se fala o que se pensa, sem travas. Ah! E se quiser puxar uma cadeira, seja bem-vindo(a). Mesa inclusiva!

Percebo a Reserva muito mais como essa mesa de bar do que como uma marca de moda. Uma mesa onde nos sentamos para conversar e nos divertir. Uma mesa que começou comigo e com o Nandão bebendo cerveja e falando sobre a vida: política, cultura, moda, esportes e tudo o mais. Por isso digo que a Reserva não é uma marca de moda. Somos muito mais uma marca de comunicação. Preferimos ser uma conversa sobre um assunto que consideramos importante a ser um pedaço de tecido estampado com uma arte bonita e uma história inventada para justificá-lo.

Nossas roupas, vitrines, revistas, sites, mídias sociais e passarelas, entre outros, são nosso veículo para uma vontade de diálogo que temos com a sociedade.

Como as marcas de moda estão, em sua maioria, interessadas em um monólogo exclusivista, dramático e chato, acabamos sendo diferentes porque:

1. Nossas lojas são como a casa de um amigo para onde vamos depois do trabalho, ou no fim de semana, para beber cerveja e jogar conversa fora.

2. Em um ambiente em que estilistas são semideuses, nossos protagonistas são os vendedores.

3. Neste mercado, no qual empresários gostam de dizer que são diretores criativos, nós nos assumimos como comerciantes apaixonados pela arte de surpreender consumidores.

4. Como partimos do princípio do diálogo e não do monólogo, nossas campanhas, desfiles e vitrines não falam só de roupas, mas de temas relevantes para a sociedade.

5. Na missão de ser percebida como um amigo, a Reserva não se preocupa apenas com aqueles com quem tem relações comerciais, mas também com as comunidades ao seu redor. A cada peça de roupa que vendemos, viabilizamos a entrega de cinco pratos de comida para quem tem fome em nosso país.

6. E, finalmente, goste-se ou não, concorde-se ou não com o que fazemos, é inegável que somos o que somos. Somos verdadeiros.

O dia em que deixarmos de ser *outsiders* e nos considerarmos *insiders* será o dia em que a marca começará a morrer.

MARCA COM PROPÓSITO

Por muitos anos, praticamos o que acreditávamos sem nunca termos parado para escrever nosso propósito, missão, visão e valores. E acho que isso foi bom.

Negócios são como casamentos. Tenho a sorte de ter casado com minha melhor amiga de toda a vida e com ela aprender que o único caminho para a real prosperidade na vida é o amor. O Brasil hoje tem o ambiente mais difícil para se fazer negócios no mundo. Aqui tudo parece ter sido montado para as empresas darem errado: tributação, burocracia, acesso ao crédito e assim por diante... Por isso, assim como na vida, um negócio só sobreviverá caso os empreendedores sejam completamente apaixonados pelo que fazem.

A percepção de que as empresas que de fato têm prosperado neste novo mundo são aquelas movidas por algo maior do que a mera lucratividade fez com que ter um propósito virasse tendência no mundo das *startups*.

Observo isso com preocupação. Propósitos não são visões que temos em um *brainstorming* com nossos sócios. Assim como na vida, o propósito das empresas não nasce pronto – emerge do próprio negócio. Nasce da comichão que sentimos por seguir fazendo e aprendendo sem parar, única e exclusivamente guiados pelo tesão e pela curiosidade que sentimos em relação àquilo que fazemos.

E assim foi na Reserva. Por sete anos praticamos enlouquecidamente o que acreditávamos, até que, um dia, por termos contratado muitas pessoas, senti a necessidade de colocar no papel o que era a cultura Reserva.

📷 **COMPARTILHE ESTA IDEIA!**

—

"AS PESSOAS NÃO COMPRAM 'O QUE' VOCÊ FAZ, MAS SIM 'PORQUE' VOCÊ FAZ."

—

SIMON SINEK

@RESERVA

NOSSO SONHO

PROPÓSITO

CUIDAR, EMOCIONAR E SURPREENDER AS PESSOAS TODOS OS DIAS.

—

O QUE FAZEMOS

ENTREGAMOS PRODUTOS COM SERVIÇOS, ANTECIPANDO E ATENDENDO ÀS NECESSIDADES DO HOMEM EM UM SÓ LUGAR.

—

COMO FAZEMOS

OFERECEMOS A MELHOR EXPERIÊNCIA, CONSTRUINDO E MANTENDO RELAÇÕES VERDADEIRAS, INDIVIDUAIS E RESPEITOSAS.

—

AONDE QUEREMOS CHEGAR

SER A PLATAFORMA DE PRODUTOS MASCULINOS PREMIUM DO BRASIL.

NOSSOS VALORES

1 NOSSA GENTE

Valorizamos as pessoas e trabalhamos para desenvolvê-las.
Acreditamos que pessoas boas fazem boas empresas e que uma empresa boa vale mais do que uma empresa grande. Trabalhamos para formar e desenvolver nossa gente. Treinamos, capacitamos e damos feedback. Somos meritocráticos e reconhecedores. Aqui, o dinheiro é uma consequência. Queremos que as pessoas alcancem voos mais altos sempre.

Juntos somos melhores do que sozinhos.
Valorizamos o trabalho em equipe e acreditamos que a união faz a força.

Não nos guiamos somente pela moda.
Valorizamos o "Pensamento de Outsider". Nós nos preocupamos em oferecer produtos com serviços que atendam às necessidades dos nossos clientes, independentemente da moda.

Acreditamos em relacionamentos com comunicação aberta, fácil e transparente.
Falamos a verdade mesmo que seja difícil. Não temos melindres e buscamos sempre resolver as coisas na base do diálogo. Não curtimos mimimi.

Fracassamos pequeno para acertar grande.
Não curtimos a zona de conforto e usamos a adversidade a nosso favor. Não temos medo de arriscar nem de fracassar. Não precisa ser perfeito, precisa ser transparente, reconhecer erros e melhorar para acertar grande.

Pensamos e atuamos como donos do negócio.
Pensamos como donos. Somos embaixadores da nossa cultura. Fazemos o que é melhor para a Reserva e não para nós enquanto indivíduos. Fazemos mais com menos e de forma apaixonada. "A Reserva é nossa."

Não temos receio de mudar e nos adaptar a novas situações.
Somos flexíveis e destemidos. Acreditamos que a mudança é um componente importante para a nossa evolução. "Somos nós mesmos, mas nem sempre os mesmos."

Colocamos a mão na massa e sabemos aonde queremos chegar.
Preferimos fazer a falar. Acreditamos que a melhor estratégia é a execução, mas não somos "ticadores de tarefas". Sabemos aonde queremos chegar e não fazemos apenas por fazer. Valorizamos eficiência e resultado.

Somos curiosos. Temos sede de conhecimento.
Acreditamos que aprender é a chave para a evolução. Não temos vergonha de perguntar quando não sabemos. Lemos, pesquisamos e trocamos conhecimento sempre.

2 NOSSOS CLIENTES

Promovemos o cuidado e a afetividade através da plataforma de comunicação da marca.

Utilizamos a comunicação da marca para promover o diálogo com nossos clientes. Acreditamos na comunicação como ferramenta de interação e buscamos, por meio dela, garantir um relacionamento verdadeiro, de afeto e de cuidado com nossos clientes.

Movemos o céu e a terra por nossos clientes.

Estamos sempre disponíveis e tratamos cada cliente com muita atenção e afetividade. Trabalhamos para surpreendê-los. Nós nos antecipamos às suas vontades, problemas e necessidades dentro ou fora do negócio.

A venda é consequência de um relacionamento verdadeiro e de um serviço impecável.

Tratamos nossos clientes como nossos convidados. Acreditamos que os mínimos detalhes fazem uma enorme diferença na percepção do cliente e nos preocupamos em encantá-lo sempre. Oferecemos uma experiência única e verdadeira. O dinheiro e a venda são consequências da relação construída com cada cliente e do serviço que oferecemos.

3 NOSSA SOCIEDADE

Inspiramos soluções para os problemas sociais do país.
Somos pessoas do bem que praticam o bem. Promovemos ações que geram um impacto positivo e significativo para a sociedade. Preocupamo-nos em inspirar o próximo a partir dos nossos exemplos.

Ouvimos e colaboramos com as comunidades ao nosso redor.
Buscamos desenvolver as comunidades do nosso entorno, seja com educação, emprego, ações sociais etc.

Geramos o menor impacto socioambiental possível em tudo o que fazemos.
Somos socioambientalmente responsáveis. Buscamos sempre soluções de menor impacto para o meio ambiente e a sociedade e estimulamos a divulgação da causa para que mais pessoas atuem nesse sentido.

Valorizamos o compromisso e a colaboração criativa na elaboração dos nossos produtos.
Damos abertura e as ferramentas necessárias para que todos colaborem na construção dos nossos produtos. Acreditamos que a participação dos nossos clientes, da nossa gente e dos nossos fornecedores fará da Reserva uma marca completa e cada vez maior.

4 NOSSOS FORNECEDORES

Construímos relações de parceria.

Praticamos o capitalismo consciente. Nossas relações são norteadas pela verdade e confiança. Temos orgulho de ser uma marca brasileira e valorizamos nossos parceiros locais. Somos justos e respeitosos. Construímos relações de mútuo benefício com nossos parceiros, trabalhamos para desenvolvê-los, com capacitações, treinamentos, qualificações etc.

A qualidade do produto é uma busca incessante.

Entregamos produtos de qualidade indiscutível, acompanhados de serviços excelentes. Buscamos sempre atribuir maior autenticidade, funcionalidade e caimento aos nossos produtos. E devem causar o menor dano possível à sociedade e ao meio ambiente.

Nosso primeiro manifesto de marca, criado em 2010: de lá pra cá amadurecemos, mas nossa essência permanece a mesma.

FILOSOFIA COMERCIAL

No Brasil, o vendedor tem vergonha de ser vendedor. É um emprego temporário sobre o qual ele não fala com orgulho. E isso é uma grande besteira.

Quando abrimos nossa primeira loja, resolvemos focar muito na autoestima de nosso time. Na medida em que estimulássemos os nossos vendedores a ter amor e orgulho pelo que faziam, a venda aconteceria como uma consequência lógica da relação de afeto mútuo entre eles e os clientes.

A meu ver, em termos de experiência, a Reserva promoveu uma verdadeira revolução silenciosa no varejo. Até então, o setor se dividia, em termos de serviço, em duas únicas soluções possíveis: marcas de luxo com alto nível de customização no atendimento e marcas premium e populares com nível baixíssimo de customização ou de autosserviço.

A Reserva já nasceu *premium* e com um nível de serviço altamente customizado para o consumidor. Nossos times não estão vendendo para clientes em uma loja de roupas; são escolhidos e estimulados a se sentirem em casa recebendo amigos, e a fazerem de tudo para dedicar-lhes carinho e afetividade.

Estamos 100% focados em conhecer e participar da vida dos nossos consumidores e, sempre que possível, surpreendê-los com uma experiência muito acima de suas expectativas.

Foi justamente aí que se fundamentou nossa filosofia comercial.

PROATIVIDADE EM VEZ DE REATIVIDADE

A loja de Ipanema foi a nossa maior escola. Muitos dos conceitos que hoje aplicamos no varejo nasceram dela. Logo nos primeiros dias de funcionamento, implantamos um processo de pós-venda simples e relevante. Tínhamos um caderno e toda vez que atendíamos um cliente o vendedor anotava a data e o motivo da compra.

O registro servia para que, precisamente uma semana depois, eles ligassem para o cliente e perguntassem se a compra havia cumprido o objetivo. "Seu irmão, André, gostou da camisa para trabalhar?" "E aí, seu pai, João, curtiu o novo par de sapatos? O tamanho estava certo?" E assim por diante. Logo de cara, percebemos que aquela atitude surtia um grande efeito de encantamento no consumidor.

Com o crescimento da base de lojas, o "caderno" começou a ser um problema, porque era de propriedade do vendedor. Então, quando ele nos deixava, acabava levando junto um histórico importantíssimo do relacionamento com nossos consumidores.

Por isso, resolvemos desenvolver um software de gestão de agendas de pós-venda, que chamamos de ReservaNOW ou, simplesmente, NOW. Quando o vendedor associava uma venda ao CPF do consumidor, o sistema abria um campo para que ele digitasse o motivo daquela compra.

Todos os dias pela manhã, quando um vendedor logava no sistema, aparecia uma lista de ligações a serem realizadas com o detalhamento das compras feitas, cliente por cliente, de uma semana atrás.

Isso acabou criando um relacionamento proativo e sistêmico com nossos consumidores. Desde então, quando um vendedor deixa a Reserva, seu relacionamento é automaticamente passado para outro representante do time, escolhido pelo gerente.

Com o tempo, além da agenda, o NOW acabou se tornando um megabanco de dados, com informações relevantes a respeito de nossos consumidores. O que compram? De que cores mais gostam? Quais motivos mais os levam a comprar? Que dificuldades têm na hora de se vestir?

Temos um time voltado para dar foco na gestão e na evolução do NOW. O resultado é que, hoje, mais de 1 milhão de clientes nossos cadastrados recebem ligações diárias de nossos times para perguntar se tudo deu certo com as compras, parabenizar pelo aniversário, agradecer pela preferência etc.

O NOW hoje também nos permite cruzar o histórico de compras daquele consumidor com o estoque disponível na loja. Assim, o vendedor pode aproveitar a ligação para informar sobre um item novo que chegou à loja e convidá-lo para tomar uma cerveja e experimentar a peça.

Certa vez, recebi um telefonema de um grande amigo e artista conhecido, perguntando se um de nossos vendedores poderia ir à casa dele e poupá-lo de ir a um shopping center. Não só fizemos isso como também criamos um serviço específico: o Reservado – um produto que pode funcionar de maneira integrada ou não ao NOW.

Quando integrado ao NOW, o vendedor oferece o serviço para clientes que não podem ou não querem ir à loja. Quando separado do NOW, os próprios clientes ligam pedindo pelo serviço.

Em ambos os casos, o NOW acaba sendo usado pelos times de vendas também para que estudem e levem aos clientes a solução de armário mais customizada possível.

O faturamento por meio do NOW e do Reservado hoje representa aproximadamente 17% do faturamento das nossas lojas.

RELACIONAMENTOS EM VEZ DE TRANSAÇÕES COMERCIAIS

O varejo de moda, em sua maioria, parte do princípio de que os protagonistas são a marca e seus produtos. Por isso, trata o serviço como um reles complemento a possíveis ineficiências de seu produto.

Nós, ao contrário, entendemos que o consumidor é o protagonista. Tudo o que fazemos parte de uma profunda observação de seus hábitos e demandas.

Enquanto o mercado trata suas lojas como pontos de vendas – locais onde acontecem transações comerciais –, nós as entendemos como pontos de encontro: locais onde nos encontramos e nos relacionamos com aqueles que, para nós, mais importam: nossos consumidores.

Para melhor explicar nossa cultura comercial, costumo perguntar, como já disse, quantas vezes na vida um homem troca de barbeiro. "Pouquíssimas!" é sempre a resposta. Isso porque homens compram a experiência, enquanto as mulheres priorizam o produto. Por isso, no que diz respeito à moda, homens são mais fiéis às marcas, e as mulheres, mais fiéis às coleções.

Adoro a ilustração a seguir, que acabou virando meme na internet e que descreve a movimentação de uma mulher e de um homem num shopping center.

Pela sua característica de fidelidade à marca, os homens já sabem o que desejam quando vão às compras. São mais objetivos. Quando acontece de irem com a esposa, a namorada ou uma amiga, acabam não tendo um lugar onde possam passar o tempo – e a Reserva se tornou uma solução para essas demandas masculinas.

A Experiência Reserva acabou fazendo de nossos vendedores amigos dos consumidores. Hoje tenho um baita orgulho porque muitos de nossos clientes não dizem que foram à Reserva adquirir algo, mas que compraram uma camiseta, uma calça ou uma camisa com o Fabio, com a Mariana etc. Também é muito comum nas mídias sociais vermos fotos de clientes convivendo com nossos vendedores em sua vida pessoal.

Quando abrimos a primeira loja, colocamos ali uma geladeira vermelha vintage e a enchemos de cerveja e energético. Além disso, oferecíamos café e balas Juquinha. Tudo gratuito e liberado para nossos amigos.

Com o tempo, fomos percebendo que muitos dos nossos clientes diversas vezes iam à loja para tomar uma cerveja e bater papo, sem necessariamente comprar algo. E nós adorávamos isso.

A venda não era um objetivo e sim uma consequência daquela relação fraterna que mantinham com a marca e com nossos times. A Reserva estava se tornando uma espécie de terceiro lugar, entre a casa e o trabalho, de nossos consumidores.

Nossas lojas sempre foram pequeninas, e existe o mito de que eram assim porque somos inteligentes na gestão do varejo. Tenho que confessar duas coisas: primeiro, gosto dessa versão; segundo, trata-se de um mito mesmo.

A Reserva nasceu em 2006, no início do segundo mandato do Lula, quando o Brasil vivia seu melhor momento econômico. O Cristo Redentor decolava, o crédito era farto, o mercado imobiliário era caro e os shoppings bombavam. A verdade é que não havia lojas para nós, e fomos pegando o que dava: pontos de alamedas menores que tinham o metro quadrado mais em conta devido à pior localização.

COMPORTAMENTO DE COMPRA [HOMEM × MULHER]
EM UM SHOPPING CENTER

HOMEM
tempo: 13 min
custo: R$ 75

MULHER
tempo: 3h 26 min
custo: R$ 482

Graças a Deus foi assim: o custo de lojas maiores teria nos afundado na crise de 2014, assim como, infelizmente, acabou quebrando muitos de nossos concorrentes. A verdade é que ter uma loja maior, ao custo do aluguel médio, só faria diferença em dezembro, no Natal, mas esse ganho não compensava o custo maior nos outros onze meses do ano.

A crise de 2014 acabou criando uma enorme vacância nos shopping centers e nós a entendemos como uma grande oportunidade de migração para um novo modelo de loja.

Como o custo do metro quadrado baixou e a nossa venda cresceu, passou a fazer sentido, economicamente, a locação de uma loja maior. O objetivo, porém, não seria apenas o de expor mais produtos e vender mais, mas principalmente o de potencializar nossa vocação de ser um lugar onde amigos se encontram. Veja o caso da loja dos Jardins, na rua Bela Cintra, em São Paulo, inaugurada em meados de 2014, e que tem três andares com 150 metros quadrados cada um. No primeiro andar, colocamos a Reserva e a Reserva Mini. No segundo e no terceiro, fechamos acordos de sublocação com parceiros estratégicos para operarem uma barbearia, uma cafeteria e um coworking.

Logo começaram a passar pela loja mais de mil pessoas por mês, a maioria delas a caminho do segundo e do terceiro andares. Ali percebemos que nossa visão estava correta e começamos, pouco a pouco, a migrar a rede de lojas para esse formato.

Na loja do RioSul, por exemplo, incluímos mais quatro operações: um espaço de videogames, com campeonatos organizados pelo time da loja; uma estamparia digital na qual novos designers e marcas podem imprimir suas camisetas, uma cafeteria e uma barbearia. Já na loja do aeroporto Santos Dumont colocamos uma sala VIP grátis para que nossos amigos possam passar o tempo antes de viajar.

Temos hoje quinze lojas operando neste novo modelo e a ideia é que, em 2020, todas sejam assim.

Reserva no Downtown,
Oficina Reserva e a
novíssima Reserva Go,
ambas no Shopping Leblon.

Loja Reserva do Shopping RioSul: além das coleções, uma estação de customização de camisas da Oficina Reserva e serviço de atelier.

IDEIAS QUE COPIAMOS

O varejo sempre tentou padronizar sua lista de serviços: bainhas incluídas, parcelamento em até dez vezes sem juros, entrega em domicílio, frete grátis etc. E aí veio a Apple e mudou tudo.

Ron Johnson, na época vice-presidente de varejo da empresa, lançou um conceito de loja disruptivo no mercado. As lojas seriam feitas para que as pessoas experimentassem os computadores, celulares e tocadores de música da Apple em mesas amplas e abertas.

Os consumidores teriam aulas sobre como usar o produto em cinemas montados dentro das lojas e, em caso de dúvidas, receberiam assistência técnica customizada e individual, também ali mesmo, nos *genius bars*.

O que a Apple nos ensinou é que o melhor plano de benefícios não é o que as marcas inventam, mas sim aquilo que o consumidor entende como valor agregado ao produto.

LIBERDADE PARA CUSTOMIZAÇÃO EM VEZ DE LISTAS PRONTAS DE SERVIÇOS

A Experiência Reserva nos tornou cada vez mais capazes de entender nossos consumidores num alto nível de detalhes. Muitas vezes conhecemos seus familiares pelo nome e estamos por dentro de seus valores, sonhos e convicções. Conversamos com eles sobre seus problemas e alegrias e, como amigos, os ajudamos em questões pessoais que vão desde a organização de uma viagem até a compra de produtos de outras marcas que nós não oferecemos.

Por entregarmos um atendimento muito acima da expectativa dos nossos consumidores, começamos a colecionar lindas e incríveis histórias – e não há exagero quando falo em colecionar. Toda semana, gerentes do país inteiro são estimulados a escrever essas histórias e mandar para os supervisores que, por sua vez, escolhem as melhores e as leem em nossa reunião semanal de vendas, que envolve todos os gerentes e supervisores.

A boa comunicação dos bons exemplos é indubitavelmente um dos segredos do sucesso da marca. Se o conselho é bom, o exemplo arrasta.

Todos os dias, nas nossas atuais 107 lojas, acontecem histórias como as duas que escolhi para contar aqui.

—

"NÃO SOMOS UMA EMPRESA QUE VENDE ROUPAS PARA PESSOAS, MAS SIM UMA EMPRESA DE PESSOAS QUE VENDEM ROUPAS."

—

HISTÓRIA 1

RESERVA MINI BARRA SHOPPING

Era o dia da inauguração da loja, 19 de setembro de 2015. De repente, um garotinho chamado Átila entrou na Reserva, fugindo da mãe, Jéssica. Clássico quadro de birra.

Vendo a situação, o vendedor da vez, Patrick, pegou um brigadeiro e ofereceu ao menino, numa tentativa de acalmá-lo. Deu certo e, em poucos minutos, o garoto já brincava com o time da loja.

Aliviada, Jéssica passou a olhar as roupas e contou ao Patrick que o aniversário de 6 anos do Átila estava próximo. Acabou escolhendo não uma, mas várias peças.

Jéssica já estava encantada, mas a equipe deu um jeito de fazer ainda melhor: uma das camisas acabou ficando pequena no menino e, por telefone, ficou combinado que a mãe passaria no dia 22 de setembro, dia do aniversário do Átila, para trocar. Patrick anotou a informação e, junto com a equipe, preparou uma surpresa para o garoto, cantando parabéns e fazendo a maior festa assim que ele entrou na loja.

Átila ficou paralisado de tanta surpresa e chorou, dessa vez de felicidade. Resultado: o tema da festinha de aniversário, que ocorreria poucos dias depois, seria o pica-pau, símbolo da Reserva.

HISTÓRIA 2
RESERVA IPANEMA

Em março de 2015, a nossa loja de Ipanema recebeu um cliente raro em todos os sentidos. O Diego era vendedor de chicletes nas ruas do bairro e morador da comunidade de Vigário Geral, no subúrbio. Um menino que se desdobra para ajudar em casa fazendo bicos como vendedor, guardador de carros, malabarista de sinal, carregador de compras e o que mais aparecer.

Intimidado, Diego perguntou, parado na porta da loja, quanto custava o tênis que estava na vitrine. Convidado a entrar, ele, ainda envergonhado, quis saber se podia experimentar um dos modelos. Feito o teste, veio um hesitante "Quanto custa?", enquanto tirava do bolso notas e moedas – o resultado de todo o trabalho realizado naquele mês, R$ 340.

Daquele total, R$ 250 iam para o aluguel. Diego dispunha apenas de R$ 90 e o tênis custava R$ 200. Mas isso não seria obstáculo para ele. Determinado, ele voltou para a rua.

Ao longo do dia, Diego passou algumas vezes pela loja para dar um "status" para a equipe. A cada visita, ele ficava mais à vontade e contava um pouco de sua vida. Disse que o tênis seria usado no dia de seu aniversário e na igreja, no domingo seguinte. Vaidoso, queria "cegar" os amigos de inveja. A equipe da loja entrou na maior torcida por ele.

Com o dia chegando perto do fim e ainda faltando bastante dinheiro, a batalha parecia perdida. Foi quando a simpatia de Diego voltou a fazer diferença: ele entrou na loja com uma menina disposta a pagar o que faltava, emocionada com a história do nosso mais novo cliente.

A capacidade de "fazer amigos e influenciar pessoas" do Diego não parou por aí. Ele disse que retornaria à loja com uma amiga, que tinha conquistado depois de emprestar R$ 50 enquanto trabalhava de guardador de carros na Lagoa, e ela, desesperada, tentava pegar um táxi na saída de uma boate. No dia seguinte, a menina estava lá e deu a ele presentes no valor de R$ 150.

Atenção! Não pensem que Diego fez isso por interesse. O garoto era, de fato, um poço de gestos nobres: quando a mochila do Ricardo, nosso vendedor, não fechou, Diego ofereceu a dele; quando o Dirceu, também vendedor, perdeu R$ 50, nosso novo amigo se disponibilizou a emprestar a mesma quantia.

Quando faltavam apenas dois dias para o "níver", Diego voltou à loja e pediu para reservarmos uma camisa para o dia da festa.

O Dirceu contou a história ao gerente Bruno e, juntos, eles decidiram bolar uma festa caprichada para o Diego. Compraram bolo, refrigerantes e, como estava perto da Páscoa, um ovo de chocolate. Quando o movimento deu uma acalmada, chamaram o Diego, que trabalhava ali perto e já era um visitante diário, e mandaram ver no "Parabéns pra você"!

Diego não conseguia acreditar que a nossa equipe tivesse feito tudo aquilo e contou que sua mãe nunca tinha podido fazer um bolo para ele.

Essa história, diferentemente de tantas outras, não se trata de um cliente que ficou encantado, mas sim de um que encantou nossa equipe.

Essas histórias se tornaram tão importantes que também passamos a contar a nossa. Por isso, no início de 2014, criamos um produto chamado "Movendo o Céu e a Terra pelo Cliente".

Trata-se de um programa não somente de estímulo ao encantamento dos nossos clientes, mas principalmente de empoderamento de nossos times.

Quando percebem que um cliente tem algum problema ou desejo que nós poderíamos resolver, a equipe é estimulada a buscar a solução – sem grandes barreiras bucrocráticas ou sistêmicas na liberação de recursos para isso.

O MCTPC nos inspira a cumprir, cada vez mais, nossa missão de sermos entendidos como amigos além de marca, e, mais importante, a estabelecer relações afetivas que nos levem a vender mais.

Na Reserva, a lista de serviços ao consumidor é customizada e individual. Serviços são criados a partir da sensibilidade e da disponibilidade dos nossos times para entender problemas e desejos de nossos consumidores, assim como de seu discernimento e da liberdade para resolvê-los no ato.

Por isso, ainda em 2014, tomamos uma decisão que institucionalizou de vez o encantamento como causa. Dentre as diversas premiações que temos nas convenções do varejo, a maior delas é para a melhor história de encantamento do semestre. O protagonista sobe ao palco para receber um prêmio em dinheiro e ser ovacionado por todos os nossos times.

Estamos no negócio de encantar pessoas e, por consequência (em vez de causa), também acabamos vendendo para elas. Para ler mais histórias de encantamento da marca, acesse: revista.usereserva.com/movendo-o-ceu-e-a-terra.

ABRE PARÊNTESES
Para nós, "Deus mora nos detalhes". Por isso, todos os meses eu envio cartas assinadas à mão para os clientes mais fiéis da marca. Criamos um software que os identifica no sistema e cria uma lista com seus respectivos dados pessoais e históricos de compra para que minha assistente imprima etiquetas postais e eu escreva as cartas. São algumas centenas de cartas enviadas por correio todos os meses.

PENSAR COMO PEQUENO EM VEZ DE PENSAR COMO GRANDE

Quanto maior a gente fica, mais aumenta o nosso esforço para continuarmos rápidos como os pequenos em nosso pensamento e capacidade de execução. O fato de nossas vendas crescerem ao longo do tempo não significa que somos melhores ou mais espertos do que ninguém. Apenas quer dizer que nosso consumidor está nos prestigiando. Desde muito cedo, resolvemos que acompanharíamos as vendas das lojas semanalmente e individualmente. Há mais de dez anos, instituímos uma reunião de vendas que acontece, religiosamente, às segundas-feiras pela manhã.

Normalmente, quando crescem, os donos ou diretores comerciais das empresas de moda acompanham as vendas por planilhas. Raros são os que promovem reuniões periódicas. Tanto a informação como o plano de ação acabam sendo *topdown*, ou seja, de cima para baixo.

Assim que estruturamos a reunião de vendas semanal, percebemos seu principal valor: havíamos criado um universo de constante colaboração no sentido de tornar a nossa experiência a melhor do mercado!

Desde então, fazemos isso loja a loja, gerente a gerente, vendedor a vendedor, com nossos supervisores apresentando seu grupo de lojas. Após a reunião, nossos supervisores e gerentes distribuem os feedbacks e planos de ação para suas respectivas bases de lojas. Assim, colocamos todos na mesma página e com um nível riquíssimo de detalhes.

A atual reunião de vendas nada deve àquelas que coloquei de pé e comandava anos atrás. Muito pelo contrário: ela melhora semana a semana. Cada vez mais somos capazes de entender individualmente os resultados de cada loja e suas pessoas. Se hoje somos grandes, a atitude e o tesão são iguais ou maiores do que quando éramos pequenos.

TOCAR NO CORAÇÃO EM VEZ DE VENDER PARA AS PESSOAS

Inaugurada a loja de Ipanema, tínhamos pensado em absolutamente tudo, menos no visual merchandising da vitrine.

Para a vitrine, nossa visão era tão simples como poderosa: a maior parte dos homens não fica olhando roupas em vitrines. Então, que tal se as nossas, em vez de exibir produtos, propusessem diálogos com nossos consumidores? E se elas estimulassem os cinco sentidos e não somente a visão?

Enquanto a regra do mercado era colocar na vitrine os produtos que estavam com giro baixo, a nossa era sensibilizar e até emocionar nossos consumidores.

O tema da coleção com a qual inauguramos a loja era Roqueiros Tropicais. Tivemos a ideia de um cenário repleto de caixas de som vintage empilhadas, lotando o espaço da vitrine. Entre elas, apenas um manequim.

A surpresa ficou do lado de fora. Penduramos um fone de ouvido com a frase: "Feche os olhos, escute e dance!"

Foi uma festa. As pessoas paravam para escutar um som e dançavam sozinhas ou com nosso time, que saía da loja para agitar com elas.

Ali começamos um diálogo com nossos consumidores através das vitrines que prossegue até hoje.

Não queríamos usar manequins eretos assim como todo mundo usa. Então chamamos um fornecedor e propusemos a ele que fizesse moldes para dois novos manequins – um plantando bananeira, de ponta-cabeça, e outro pulando, com uma das mãos fechadas, como se comemorasse um gol.

Ali nasceram os manequins "capoeira" e "jump", que, por muitos anos, enfeitaram nossas vitrines.

A arrumação do interior das lojas era outro enorme desafio. Novamente, resolvemos prestar atenção em nossos consumidores. Homens navegam nas lojas de duas possíveis

167

maneiras: procurando roupas para uma determinada ocasião (praia, festa, trabalho) ou por uma categoria específica de produtos (camisetas, camisas, calças jeans).

Definimos, então, que a parede da direita seria organizada por modo de uso, e a da esquerda, por categoria de produto. Mesas e araras extras seriam usadas para lançamentos de novos produtos ou exposição de produtos com muito valor agregado. Até hoje, essa é a lógica de arrumação das lojas.

Nosso Departamento de Visual Merchandising foi montado por Évans Queiróz, que começou como vitrinista e chegou à Diretoria Criativa antes de deixar a Reserva, em 2014. Devemos muitíssimo a ele.

Naiana Lemos, que fazia parte do primeiro time de Visual Merchandising, assumiu a coordenação desse departamento. Criativa e empreendedora nata, Nai montou um timaço, criou um aplicativo interno para gestão da qualidade que possibilita à equipe de vm comunicar-se em tempo real com as lojas, que foram mapeadas e receberam manuais dos processos de montagem e manutenção.

O Departamento de vm hoje é capaz de trocar as coleções das 107 lojas do Grupo em, no máximo, cinco dias. O mapeamento, por sua vez, permitiu entender o desempenho comercial de cada corner e movimentá-los adequadamente.

Ao assumir o departamento, a Nai optou por vitrines minimalistas, com melhor acabamento e com altíssimo potencial de diálogo com nossos consumidores.

Enfim, acredito que uma imagem fala mais do que qualquer explicação, por isso listo a seguir alguns bons exemplos.

Com a palavra,
Naiana Lemos.
Aponte a câmera do seu celular para a imagem e assista ao vídeo.

Uma das vitrines mais emocionantes foi a do Dia dos Pais em 2015. Dois manequins, um adulto e uma criança, virados um para o outro, com a moldura de um espelho entre eles. No vidro, em caixa-alta: "O melhor de mim é você. Pais Reserva."

A coleção "Não Julgue", no inverno de 2015, falava de preconceito sob um ponto de vista diferente: somos todos preconceituosos em algum nível.

A solução de um problema tem que começar pela própria percepção do problema: a coleção seria ponto de partida para um diálogo riquíssimo.

O time de VM colaborou com o artista plástico Felipe Morozini para desenvolver lindas cabeças de macacos e de veados feitas com fractais de espelho. Trocamos as cabeças dos manequins por elas e escrevemos na vitrine: "O preconceito está na sua cabeça." Toda vez que alguém olhasse para a cabeça do manequim e pensasse "veado" ou "macaco", se veria refletido no espelho.

Uma quantidade enorme de clientes e curiosos entra todos os dias nas lojas para perguntar ou conversar sobre nossas vitrines, gerando para nós uma enorme oportunidade de diálogo.

Lançamos o "Reserva Rebeldes com Causa" em setembro de 2014. Trata-se de um projeto de estímulo ao empreendedor social brasileiro, por meio de suporte financeiro e voluntariado interno de nosso time em horário de trabalho.

Como a moda tem essa preocupação de "fulano copiou beltrano", resolvemos inaugurar o projeto junto com o lançamento de nossa coleção de verão, como "uma ideia da Reserva para ser copiada por todos".

Definimos que transformaríamos 100% do nosso espaço de vitrine em outdoors para a divulgação dos projetos e empreendedores sociais apoiados pela marca.

Na coleção "#QueSeja", do Verão 2016, falamos da necessidade de vivermos a vida intensamente e de que a juventude está na nossa cabeça, não no corpo.

Na vitrine, apenas um manequim com uma tv de plasma encaixada. O filme começava com um rosto de um bebê que ia envelhecendo até se tornar idoso. Tudo em questão de segundos.

Em janeiro de 2015, nossa tradicional vitrine de liquidação colocou, mais uma vez, tudo de cabeça pra baixo: manequins, sinalização no vidro e até a fachada. Nessa edição o "efeito liquidação Reserva" foi além e até um carro de verdade foi colocado de ponta-cabeça em plena rua Maria Quitéria, em Ipanema, em frente à nossa loja.

Assista à reação dos passantes ao ver um carro estacionado de cabeça para baixo em Ipanema.
Aponte a câmera do seu celular para a imagem e assista ao vídeo.

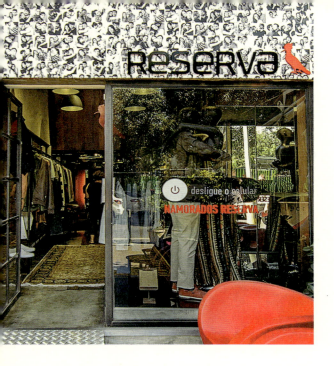

Para o Dia dos Namorados, fizemos em 2015 uma campanha para que nossos consumidores desligassem seus celulares. Na vitrine, um casal, um beijo apaixonado e fotos de nossos colaboradores, gays e héteros, com seus namorados.

Para o Natal de 2015, colocamos Papai Noel passando sua roupa a ferro, preparando-se para o trabalho.

O nosso time de VM tem a tradição de repetir as vitrines de liquidação e de virada de ano. Nas primeiras, colocamos tudo de cabeça para baixo, às vezes até coisas que estão do lado de fora da loja. Nas de virada de ano, agradecemos aos nossos clientes pela fidelidade.

Com o passar do tempo, o VM ganhou tamanha importância comercial que a Nai passou a se envolver fortemente também no processo de arquitetura de lojas. Hoje, ela lidera o Departamento de VM, Arquitetura e Manutenção de Lojas.

EMPRESÁRIOS EM VEZ DE VENDEDORES

Certa vez, li em uma revista que um percentual muito pequeno das empresas nacionais faturavam mais de R$ 1 milhão ao ano. Então, me dei conta de que tínhamos pelo menos cinco vendedores na rede que faturavam quase isso e, se fossem empresas, poderiam fazer parte deste seleto grupo.

Nascia ali o projeto "Reserva Top Sellers", programa de estímulo ao intraempreendedorismo nas lojas do Grupo. São top sellers aqueles que vendem mais de R$ 840 mil ao ano e que alcançam avaliações acima da média no encantamento de clientes.

Top sellers recebem a insígnia do pica-pau de ouro, que permite reconhecimento dentro da loja, e recebem cartões corporativos com seus nomes. Eles também ganham um prêmio em dinheiro e, quando alcançam o título três vezes em cinco anos, um carro zero. Os top sellers viajam pelo país inteiro, treinando nossa turma e levando junto a cultura de marca.

Uma história que me marcou foi a do Marcus Vinícius. Ele foi o primeiro top seller a ganhar um carro, e lhe preparamos uma surpresa: resolvemos entregar o prêmio no meio de uma de nossas convenções de vendas.

Eu saí de fininho, peguei o carro e dirigi até a porta do evento com a família do Marcus no banco de trás, esposa e duas filhas.

Enquanto eu dirigia, a mãe disse para as meninas:

— Vocês estão vendo este carro? Foi para ganhá-lo e para que vocês não precisem ir mais de ônibus à escola que o papai trabalhou todos os dias até tarde.

São momentos como esse que justificam tudo.

Mora nesse projeto a futura liderança comercial da Reserva e, por causa dele, podemos dizer que, hoje, somos dezenas de empresas dentro de uma.

GENTE QUE FAZ, EM VEZ DE GENTE QUE DÁ CONSELHOS

A Camila Krauss chegou à Reserva em 2008. Ela faz parte dos Narcóticos Anônimos e, em sua entrevista de emprego, com toda a humildade e verdade do mundo, ela me contou sobre como a sua vida havia sido difícil e me pediu uma oportunidade de emprego. Seria o seu primeiro após ter se afastado das drogas.

Em junho de 2016, Camila comemorou onze anos limpa, dos quais oito conosco. Brinco que ela trocou um vício por outro: a Reserva.

Camila começou como vendedora. Rapidamente, se tornou ponta na loja do Shopping Leblon e, em seguida, ponta da rede.

Em pouco tempo, Camila já era gerente da loja em que havia começado, ajudando sua equipe a revezar com a loja do RioSul no primeiro lugar da rede por muitos e muitos anos.

Ela não era apenas gerente da loja. Era mãe de seus vendedores, uma líder admiradíssima e completamente venerada pelos clientes. Foram muitas e muitas cartas que a

Camila me trouxe para que eu escrevesse à mão, desejando boas festas, feliz aniversário ou congratulando seus clientes por suas conquistas pessoais.

Com esse seu jeito caloroso e ao mesmo tempo sério, ela acabou formando muitos de nossos atuais gerentes e criando vários processos de encantamento que hoje praticamos.

No final de 2015, avaliamos que havia chegado a hora de a Camila virar supervisora. Para ela, seria uma enorme mudança e, por muito tempo, por paixão pelo que fazia, ela relutou em ser promovida.

Eu tinha uma ideia meio louca na cabeça: e se a Camila virasse Supervisora de Experiência Reserva? Seria um novo cargo.

O cargo de "Supervisora de Experiência" seria um híbrido de evangelizadora de cultura de marca com gestora comercial. Ela deveria assumir provisoriamente, por um trimestre, lojas que não estivessem entregando a cultura de marca e resultados comerciais.

Nesse período, os processos da loja seriam revisados e os times seriam novamente treinados e orientados. A ideia era que, ao término do trabalho, a loja voltasse a entregar suas metas de encantamento e. A primeira experiência deveria servir para que a supervisão formalizasse um cronograma semanal de trabalho, uma espécie de *playbook* que daria escala ao método em outras lojas, com outros supervisores.

Semanas depois, apresentamos o plano para a Camila e ela topou!

A primeira loja a receber a supervisão de experiência foi a do Rio Design Barra. Fiquem com as palavras de Camila:

Começo com um breve histórico da minha trajetória (e do meu amor) pela Reserva para que faça sentido o meu relato.

Entrei na Reserva em 2008 como vendedora. Era a minha "primeira vez" no varejo. Eram sete lojas da marca. Fiquei como vendedora da loja do Leblon por dois anos e fui promovida a gerente de lá (onde fiquei cinco anos). A performance da loja era fruto de uma relação verdadeira, gostosa e próxima com os nossos clientes (internos e externos). Pelo fato de eu fazer parte da Reserva desde praticamente o início e ser iniciante no varejo, absorvi com naturalidade e muita força o DNA da marca, e esse, acredito eu, era o meu segredo de sucesso no resultado das vendas e no desenvolvimento do time.

Em 2014, com 35 lojas, numa conversa com Rony, ele disse: "Meu medo é o crescimento anular a nossa experiência de marca, deixar esfriar. Como manter setenta, cem lojas com a nossa pegada de atendimento, com a nossa maneira de nos relacionar com os clientes? E se a história da marca não for mais contada dentro das nossas lojas? Se isso acontecer, será o fim da Reserva."

A partir desse questionamento nasceu a ideia de criar um cargo que cuidasse apenas disto nas lojas: da nossa experiência de marca.

Então, em novembro de 2015 assumi a Supervisão de Experiência Reserva, cargo inexistente no mercado. Nossos valores precisavam continuar latentes dentro dos nossos pontos de venda. Nossos times deviam ser desenvolvidos continuamente. Era fundamental que a venda continuasse sendo consequência, e não causa.

Rony e a nossa diretora comercial Renata Duayer esboçaram o cargo. Três meses numa única loja com a missão de:

1. Desenvolver a equipe;
2. Aumentar o faturamento;
3. Sustentar o resultado após a minha saída da loja – eu respondo pela loja pelos próximos dois meses após a minha saída.

O projeto se iniciou em novembro de 2015, na loja do Rio Design Barra, no Rio de Janeiro. O cenário dessa loja:

- Troca de gerente em maio;
- Até novembro, cota batida apenas em agosto.

Em uma semana traçamos um plano de ação para aquele mês.

Camila Krauss, que começou como vendedora e hoje é Supervisora de Experiência Reserva.

Com a palavra, Camila Krauss. Aponte a câmera do seu celular para a imagem e assista ao vídeo.

O que fizemos?

- Definimos junto com a equipe um objetivo para a loja: virar uma loja de faturamento A;
- Estreitei a relação com cada um deles: vida pessoal, sonhos, dificuldades, como a empresa poderia contribuir, o que eu poderia fazer para ajudar, como eles enxergavam a loja naquele momento;
- Contei a história da marca novamente, falamos da Experiência Reserva e de como ela deve pulsar dentro de nossas lojas;
- Acompanhamento diário nos atendimentos com feedbacks imediatos;
- Deixamos a loja pulsante novamente com energia alta, muito sorriso e o foco na virada de chave que precisávamos;
- Parceria com a gerente acompanhando, ouvindo, direcionando;
- Ouvidos e olhos aguçados para o nosso cliente. Histórias de encantamento surgiam com naturalidade, como o cliente que disse estar em tratamento com dieta reduzida, pois seus triglicerídeos estavam altos e mandamos entregar na casa dele um "kit triglicerídeos zero" – uma cesta cheia de produtos naturais adequados para a dieta dele e, junto, um bilhetinho da gerente desejando sucesso no tratamento.

O resultado? A loja fechou o mês de novembro em primeiro lugar no ranking geral da rede. Vendeu R$ 115 mil a mais do que a meta. Vendemos em média três peças por atendimento e tivemos crescimento de 38% em relação ao ano anterior.

Sim, provamos que a venda – pelo menos na Reserva – é consequência de um atendimento caloroso, detalhista, informal e de cuidado com o nosso cliente. E só poderemos oferecer isso se acontecer internamente e verdadeiramente entre nós.

—

"SE NÃO FOSSE A RESERVA, EU PODIA SER SÓ MAIS UMA. A RESERVA É A OPORTUNIDADE NA VIDA DE ASSINAR NOSSO NOME DE MANEIRA DIFERENTE."

—

CAMILA KRAUSS

Não tenho absolutamente nada contra consultores. Apenas fui consultor antes da Reserva e posso dizer com propriedade que é muito mais fácil dar opiniões sobre o negócio dos outros do que correr o risco, botar de pé e, ao mesmo tempo, ter que pagar as contas no fim do mês.

Por isso, ao longo do tempo, sempre que pensamos em novos projetos, optamos por nossa gente, como no caso da Camila, e normalmente escolhemos quem já tenha passado por sufocos de verdade na vida ou nos negócios, em vez de escolher consultores de mercado.

No Natal de 2016 enviei uma mensagem carinhosa para a Camila e ela me emocionou muito com a sua resposta.

Rony, meu amor.

Narcóticos Anônimos não promete q eu vá parar de usar drogas.

A missão da Irmandade é que "todo adicto PODE parar de usar, perder o desejo e encontrar uma nova maneira de viver".

Duvido q qdo vc teve o insight de ter uma marca masculina vc pensou q pudesse atingir tão verdadeiramente a vida das pessoas.

Enqto vc, em 2004, criava a marca, eu fumava crack.

2005, qdo vc vendia roupa para multimarca, eu passei internada.

Paralelamente à sua vida produtiva, "certinha" e prafrentex, tinha a minha: autodestrutiva, "pra trás", escura.

Qual não é a magia dessa vida de cruzar esse dois caminhos tão distintos?!

Rony, vc e Nandão me mostraram, lá em 2008, que existia sim uma nova maneira de viver.

Diferente de tudo o que eu vivi.

E vou te dizer:
NEM NOS MEUS SONHOS MAIS LINDOS EU SONHEI TER A
VIDA QUE EU TENHO HOJE. NEM NOS MEUS SONHOS MAIS
LÚDICOS EU SONHEI SER A PESSOA QUE EU SOU HOJE.

A vc e à Reserva, toda a minha vida.
Toda a minha gratidão.
Todo o meu amor.

Eu encontrei uma nova maneira de viver a partir da SUA,
Rony.
Beijo no seu coração com todo o meu amor. ❤

Pessoas como a Camila, quando caem, em vez de chorar já sabem que são capazes de levantar. Pessoas como a Camila têm a capacidade de nos emocionar a cada gesto ou palavra e assim, por consequência, nos inspirar a sermos melhores todos os dias.

UMA ODE ÀS PESSOAS EM VEZ DE CONVENÇÕES DE VENDAS

Em 2012, quando tínhamos 24 lojas, decidi reunir a turma para uma convenção. Recém-casado, havia acabado de voltar de uma viagem a Cuba, que serviu de inspiração para nossa coleção de Verão, uma crítica direta ao cerceamento de liberdade na ilha.

O tema era pesado e decidi fazer um vídeo para quebrar o clima. Na época, uma transexual chamada Luísa Marilac era a celebridade instantânea da vez. Ela aparecia num vídeo na internet em uma piscina contando sobre a sua boa vida na Europa e terminava com aquele que se tornou um grande bordão nacional: "E teve boatos que eu ainda estava na pior. Se isso é tá na pior, PORRAN, quê que quer dizer tá bem, né?"

Na véspera da convenção, conversando com a Anny sobre o que eu poderia fazer, ela veio com a ideia: "E se te gravássemos na pequenina banheira da varanda fazendo a Marilac?" Minha esposa é gênia!

Ela teve que gravar umas seis vezes porque toda vez que eu mergulhava ela caía no chão de tanto rir e estragava o vídeo – e eu tinha que trocar de roupa para gravar novamente. Na minha versão do vídeo, eu não tomava "bons drinks" e sim mojitos, afinal estava em Cuba! Não contei para ninguém que havíamos feito aquilo e inseri o vídeo no meio da minha apresentação da convenção.

Meu pai, outra enorme referência, costumava abrir apresentações da empresa onde trabalhava com "Poeira", de Ivete Sangalo. Eu tinha assistido a um evento dele e quis começar de maneira semelhante.

Falo muito palavrão e não vou deixar de falar nunca. Sou assim. Sempre que tento deixar de falar, me enrolo e parece que é outra pessoa falando. Então, para quebrar logo este preconceito, resolvi que abriria a convenção com uma "ola", como as que fazem nos estádios. Eu assino e-mails para a empresa com o bordão "Vamo que vamo, porra!". Por isso, em vez de "Ola", pensei que nós poderíamos gritar: "Porra!"

Nascia ali a "Ola do Porra!", uma marca em nossos encontros. Sempre levantamos uma ola na horizontal, na vertical, na diagonal direita e na esquerda. Assim, já começamos a convenção agitando a turma.

Éramos poucos, mas sempre fomos apaixonados. A "Ola do Porra" foi um sucesso, mas o melhor estava por vir. Contei para a nossa turma sobre a minha viagem a Cuba e sobre como ela se refletiria na campanha e nas roupas que, em breve, lançaríamos nas lojas. A ideia era

Eu fazendo a Marilac para lançar nossa coleção Verão 2012 - Cuba, Libre?!

Só vendo o vídeo pra crer. Aponte a câmera do seu celular para a imagem e assista ao vídeo.

iniciarmos esse diálogo na convenção, e prosseguir com ele nas lojas, com nossos consumidores. Não tinha nada a ver com roupas: falaríamos das coisas da vida, entre nós e com nossos consumidores.

Em seguida, revelei que havia gravado um vídeo em Cuba e apertei o play no vídeo... Ali acabou a convenção. Eles gargalharam e me fizeram repetir o vídeo umas dez vezes!

Em um mercado de donos-diretores-criativos-de-nariz--em-pé, o maluco aqui mergulhava numa banheira como se fosse uma piscina, pagando barriga de chope.

Por incrível que pareça, concluí que, naquele momento, o nível de admiração das pessoas por mim subiu absurdamente. Mais uma vez, senti que seríamos diferentes na exata proporção em que agíssemos verdadeiramente.

Após a convenção, um de nossos vendedores jogou o vídeo na internet e a coisa viralizou. Junto com a minha ridícula imagem, foi-se a marca para o mundo.

Aquela convenção virou formato. Primeiro para dentro, depois para fora. Antes de tudo, comunicamos nossas coisas e nos divertimos com as nossas pessoas. Se for bacana, elas multiplicam nossas mensagens e iniciativas nas lojas e na internet. Todas as nossas convenções têm hashtags, criadas especificamente para elas, que sempre contabilizam mais de 200 mil impressões.

Somos centenas de malucos apaixonados pela despretensão da Reserva. Gente que faz, consome e divulga a marca. Por isso, nosso investimento em marketing (para fora) anual é de aproximadamente 2% do nosso faturamento bruto, contra 5% da média de mercado. Por outro lado, nosso investimento em endomarketing (para dentro) anual é de 3% do nosso faturamento bruto, contra quase zero da média de mercado.

Como poderíamos divulgar uma campanha se as nossas próprias pessoas não sabem explicá-las? Como poderíamos ser também amigos, além de marca, se nossas próprias pessoas não se sentissem tratadas como tal?

Nós não acreditamos em milhões de reais gastos em anúncios, mas em ações, para que nos comuniquemos cada vez melhor com as nossas pessoas que, por conseguinte, se comunicarão com nossos consumidores.

Por isso, as convenções semestrais que realizamos são os maiores investimentos de marketing da Reserva. Até hoje, foram dezesseis.

Em todas elas, tivemos a "Ola do Porra!", me fantasiei ou me fiz de ridículo de alguma forma, sensibilizamos as pessoas no que diz respeito à nossa cultura e às nossas coleções e reconhecemos aqueles sem os quais nada seríamos: nossas pessoas.

Foram tantas convenções, com tantos momentos impactantes, mas vou destacar só três.

Para a "#QueSeja", Verão 2016, alugamos o Maracanã. Sim, o Maracanã. Lá colocamos nossa turma, entregamos troféus para eles no meio do estádio, botamos o MC Sapão para cantar, abrimos o bandeirão da Reserva, com direito a torcida organizada, e fizemos guerra de bolo comemorativo de nossos 9 anos.

Para a "Meninos de Ouro", Inverno 2016, alugamos o Instituto Tomie Ohtake, em São Paulo. Como a ideia da coleção era fazer uma ode à terceira e quarta idades, trouxemos os pais de nosso pessoal para participar conosco. Eles entregaram os prêmios e foram os modelos do desfile. Esta talvez tenha sido a mais emocionante das convenções.

Uma coisa me sensibilizou muito. O menino que ganhou o prêmio de melhor vendedor do semestre estava deixando a empresa para fazer trabalho voluntário na África. Além da premiação, nós demos a ele um cheque de R$ 5 mil para ajudar na viagem.

Emocionado, ele contou que, quando decidiu viajar, muitos "amigos" recomendaram que ele fizesse alguma besteira para ser mandado embora e ganhar a rescisão. Ele respondeu que amava a Reserva e que pediria demissão para que

Rony de idoso;
Morpheus, de Matrix;
e Rei Roberto Carlos:
viva o ridículo!

Convenção 10 anos Reserva: "Ola do Porra!" na abertura e Nego do Borel pra fechar o evento.

Assista ao vídeo da Convenção Nós, Verão 2017. Aponte a câmera do seu celular para a imagem e assista ao vídeo.

sempre tivesse as portas abertas. Completou dizendo que o valor que recebeu era maior do que a rescisão que receberia caso fosse demitido e que gostaria que sua atitude servisse de exemplo para todos.

Para "Nós", Verão 2017, alugamos uma ilha no Rio de Janeiro para comemorar o nosso aniversário de 10 anos. Eu me fantasiei de Dr. Emmett Brown do filme *De volta para o futuro* para contar à nossa turma como seriam os próximos dez anos da marca. A convenção foi muito emocionante, com depoimentos de todos aqueles que construíram a marca e com visita surpresa de nossas famílias. A festa entrou pela madrugada e terminou com show do Nego do Borel.

Certa vez fui convidado para contar nossa história ao time comercial de um enorme varejista brasileiro, e brinquei com o CEO da companhia dizendo que, em vez de comprar merchandising do quadro "Arquivo Confidencial" do Faustão, eles deveriam investir o dinheiro para fazer o arquivo confidencial das suas pessoas. Meses depois ele me ligou dizendo que seguiu meu conselho e foi uma das melhores decisões que já tomou na vida. Fiquei feliz.

Desde a Luísa Marilac, adquiri o hábito de me fantasiar nas convenções ou eventos comemorativos. Quanto mais caricato, melhor. Parto do princípio de que, se o CEO da empresa não se leva a sério a ponto de passar por esse ridículo, implicitamente fica o recado de que ninguém na Reserva é melhor ou mais importante do que outro.

Abaixo: guerra de bolo entre os
sócios, em pleno Maraca,
pra comemorar os 9 anos da Reserva
e "momento soltem os balões"
no Instituto Tomie Ohtake.
Ao lado: nosso bandeirão toma a
arquibancada do estádio.

Assista ao vídeo da Convenção
#QueSeja, Verão 2016.
Aponte a câmera do seu
celular para a imagem e
assista ao vídeo.

Assista ao vídeo da
Convenção Meninos de Ouro,
Inverno 2016.
Aponte a câmera do seu
celular para a imagem e
assista ao vídeo.

IDEIAS QUE COPIAMOS

Steve Jobs era foda, mas era um bosta. Enquanto seus competidores falavam de números e projeções financeiras, ele cagava para o mercado e focava em mostrar aos seus clientes os incríveis produtos que ele (e não seu time) havia criado pensando exclusivamente nos consumidores (mas eram produtos caríssimos e fechados tecnologicamente).

Richard Branson é foda. Ainda menino, criou a Virgin, uma loja de discos que viraria uma das maiores gravadoras do mundo.

Algumas décadas depois, com pouco menos de 40 anos, vendeu a gravadora para a EMI por US$ 1 bilhão. Meses depois, surgiu o Napster e a indústria fonográfica passou por maus bocados.

Richard teve a inteligência de vender a gravadora, mas não a marca. Ele fez um acordo que lhe permitiria usar a marca (ácida, bem-humorada, sexy, jovem e inteligente) em outras categorias de mercado que não o fonográfico.

Então tornou-se um investidor em série, lançando-se em iniciativas que vão de companhias aéreas a vestidos de noivas, todas usando o branding da Virgin.

O fato é que, em todos os seus negócios, Richard percebeu que seus competidores empresários normalmente se levavam muito a sério. Além disso, sabia que, se fosse competir com dinheiro, tomaria de lavada dos multimilionários orçamentos de marketing de seus adversários.

Por isso, como estratégia de marketing, resolveu tirar sarro de si mesmo. Qual seria a repercussão editorial se o dono de uma companhia aérea aparecesse vestido de aeromoça em seu lançamento? Ou se o dono de uma companhia de telefonia aparecesse nu, usando um telefone como tapa-sexo? Foi isso que ele fez.

Como diz o dito popular, "enquanto conseguirmos rir de nós mesmos, estaremos à frente de nosso tempo", e Richard é o exemplo vivo disso.

Como já disse, sou um leitor patológico e, das minhas leituras, monto minha coleção de ídolos e referências. Não tenho vergonha ou pudor algum em assumi-los.

Com Steve (trato-o informalmente porque, apesar de não tê-lo conhecido, o enxergo como um mentor), aprendi que quanto mais tentarmos vender algo, menos venderemos. As pessoas odeiam números e projeções financeiras. As apresentações de Steve eram o estado da arte.

Aprendi também que, a longo prazo, a prosperidade não existe sem que se construa um ambiente colaborativo e regido pelo mérito e pela afetividade com as pessoas. Nesse caso, aprendi às avessas, porque Steve fez tudo ao contrário. A vaidade dele construiu uma empresa fechada e maldosa no trato com os funcionários. A Apple se tornou refém da genialidade de Jobs, e quando ele morreu...

Com Richard (também tratando-o informalmente), aprendi a fazer marketing com muito pouco, tirando sarro de mim mesmo. Aprendi que, no processo de liderança, para não subir no salto alto, o líder deve ser o primeiro a dar exemplo de humildade, sem chatice e com muito bom humor e irreverência.

Vestido de Dr. Emmet Brown pra falar do futuro da Reserva na Convenção de 10 anos da marca.

FILOSOFIA DE MARKETING & COMUNICAÇÃO

Quando chegamos ao mercado de moda rapidamente percebemos o seu *modus operandi*. Replicamos tudo aquilo com que concordávamos, mas fazíamos diferente sempre que aparecia algo de que discordávamos.

No fim das contas, acredito que acabamos recebendo o rótulo de "rebeldes" ou "polêmicos" por não necessariamente seguirmos as regras do jogo e por falarmos abertamente sobre isso.

A maioria das regras que encontramos não estavam escritas, mas era como se tivessem sido gravadas em pedras sagradas – inquestionáveis. Algumas delas:

1. Marcas de moda impõem o estilo de vida de seus donos aos consumidores.

2. Marcas de moda lançam temas de coleção semestrais mais com o objetivo de justificar as escolhas estéticas de seu grupo de estilistas do que para dialogar com seus consumidores sobre assuntos realmente relevantes para a sociedade.

3. Marcas de moda produzem catálogos caríssimos com imagens de moda que muitas vezes não são compreensíveis para boa parte de seus consumidores.

4. Marcas de moda usam as mídias sociais para mostrar seus produtos em vez de dialogarem com seus consumidores.

5. Marcas de moda gastam verdadeiras fortunas para desfilar coleções nas semanas de moda, mais focadas em agradar a um seleto grupo de críticos do que a seus consumidores.

6. Devido à regra anterior, muitas marcas de moda brasileiras nem sequer levam os produtos que desfilam para as lojas. São duas coleções 100% diferentes: uma para inglês (e crítico) ver e outra para os consumidores comprarem.

Ao longo do tempo, fomos questionando e quebrando muitas dessas regras, e é sobre isso que falaremos neste capítulo. Antes, porém, de contar como fizemos isso, vamos nos concentrar em quem o fez.

Adriana Omena chegou à Reserva como responsável pelas mídias sociais quando ninguém poderia supor que um dia elas se tornariam... as mídias sociais!

A Dri, digamos assim, é foda! Virou minha dupla na criação em pouco menos de quatro anos. Ela construiu a nossa voz de marca. Os jargões, as piadas nas mídias e nas camisetas, as campanhas louconas etc. Foi dela a talentosa mão que nos "desenhou" para que o mundo entendesse.

Uma vez, ela escreveu no Instagram: "A Reserva definitivamente não é o meu trabalho, a Reserva sou eu." Me emocionou!

Quando a Adriana chegou, éramos somente eu e ela. Hoje somos um timaço, tanto na criação como no marketing, que não apenas colabora criativamente como também trabalha para que nossos conteúdos cheguem a todos os nossos consumidores, on-line e off-line.

DIÁLOGO EM VEZ DE IMAGEM DE MODA

Para mim, não faz sentido uma marca de moda, a cada seis meses, comunicar um tema de coleção meramente estético.

Como funciona normalmente? Um grupo de estilistas cria uma coleção com base no que eles acham esteticamente interessante. O tema determinará as características da coleção: cartela de cores, modelagens, estamparia etc.

O diretor criativo, além de coordenar aquela coleção autocentrada, contrata um time terceirizado para a produção da campanha: diretor de arte para criar artisticamente a campanha, fotógrafo, stylists, modelos e produtores para a execução.

Esse time monta e fotografa cenas que lhes pareçam belas aspiracionalmente. O foco? A roupa. Sempre.

Apenas para a produção da campanha, gasta-se uma fortuna. Isso sem falar nos custos de impressão e veiculação, tudo feito sem perguntar ao consumidor se ele gosta ou se se interessa por aquilo.

Sempre pensei ser inútil o investimento em campanhas que tivessem a roupa como protagonista, pois a maior parte dos homens nem sequer repara em anúncios de moda.

Por isso, decidimos que as campanhas da Reserva não falariam de produtos, e sim sobre assuntos a respeito dos quais gostaríamos de dialogar com nossos consumidores.

"A GENTE FAZ UM EXERCÍCIO CONTÍNUO DE ENCONTRAR MANEIRAS DE FALAR COM O CLIENTE NOS LUGARES ONDE ELE MENOS ESPERA."

— ADRIANA OMENA

Etiqueta interna da nossa camisa polo: adoramos conversar com nossos clientes.

Com a palavra, Adriana Omena. Aponte a câmera do seu celular para a imagem e assista ao vídeo.

As campanhas deveriam ser argumentos para conversas em mesas de bar, escritórios ou nas lojas, com nossos times. E, para ampliar o debate, se fosse necessário, nem mesmo colocaríamos produtos da marca em nossas campanhas.

Na campanha "Não Julgue!", trouxemos, no lugar de modelos tradicionais, apenas pessoas consideradas "diferentes" pela sociedade: um menino com síndrome de Down, um negro rastafári, um garoto loiro de olhos azuis, um judeu, um árabe, um menino todo tatuado e com alargador de orelhas e, ainda, um cadeirante.

Fotografamos o *lookbook* no mesmo padrão de sempre, com esses personagens e sem legenda. Conversamos com os times e colocamos nas lojas.

A resposta dos consumidores era quase sempre a mesma: "Nossa, que incrível! Que diferente!", e nossos times respondiam: "Sério? Você achou diferente? Por quê?". Abria-se, então, o espaço para um diálogo necessário à quebra de nossos preconceitos.

Nessa época, fui procurado no Facebook por um consumidor que se disse incomodado com a campanha. Perguntei o motivo e ele disse que era gay e havia sentido falta de um casal gay na campanha. De bate-pronto, respondi: "Quem disse que não tem gays? Por caso está escrito 'gay' na testa das pessoas?" Ele me agradeceu e nos parabenizou!

Não há nada que me empolgue mais na Reserva do que esse diálogo. Mesmo quando rolam críticas, se inteligentes e educadas, elas nos engrandecem demais!

Entretanto, nem sempre acertamos... No início da Reserva, alguém me enviou um link para o clipe de um novo MC, que cantava uma música chamada "Polo do pica-pau".

Era um momento em que a marca começava a ser pirateada e eu, idiota, associei uma coisa a outra. Resolvi enviar um e-mail ao MC pedindo a ele que tirasse a música do YouTube. A resposta? O óbvio "mas era uma homenagem!".

Anos se passaram e, um dia, assistindo ao programa *Altas horas*, me empolguei com a entrevista de um novo MC, o Guimê, que me chamou a atenção pela inteligência. No dia seguinte, comentei com meus sócios sobre o programa e o Jayme, em tom irônico, me passou o tablet dele e disse: "Gostou, é? Então dá play neste vídeo..." Era o MC Guimê, alguns anos antes, cantando "Polo do pica-pau".

Sim, eu também havia sido preconceituoso e me senti péssimo. Mandei uma carta pedindo desculpas e o convidei para fazer um show na abertura da convenção que falaria do tema "Não Julgue". A galera foi ao delírio.

Com MC Guimê na Convenção "Não Julgue".

📷 COMPARTILHE ESTA IDEIA!

—

"UMA BOA MATÉRIA EM UM SITE, JORNAL OU REVISTA É INFINITAMENTE MELHOR DO QUE UM ANÚNCIO PAGO NO MESMO VEÍCULO."

—

RICHARD BRANSON

@RESERVA

INVERNO 2011: DECADENCE AVEC ELEGANCE

Uma sátira bem-humorada ao apego material das pessoas e à decadência das relações humanas.

VERÃO 2012: CUBA LIBRE?!

Uma crítica ao cerceamento das liberdades civis em Cuba.

INVERNO 2012: BE YOURSELF BUT NOT ALWAYS THE SAME

Uma discussão sobre a padronização do comportamento humano e a liberdade de expressão.

VERÃO 2013: FAMÍLIA É O NOVO COOL

Uma ode à nova e incrível família brasileira: multigênero, multiétnica, multirreligiosa.

INVERNO 2013: INSPIRADORES

Prestamos uma homenagem aos nossos grandes ídolos.

VERÃO 2014: MODA, FOQUE!

Questionamos o foco da sociedade no supérfluo e não no ser humano.

INVERNO 2014: LÍNGUA BRASILEIRA

E se o Brasil tivesse sido colonizado por índios? Língua portuguesa, não: nossa língua e nossa identidade são brasileiras mesmo.

VERÃO 2015: REBELDES COM CAUSA

Uma campanha de incentivo ao empreendedorismo social que elegeu onze projetos no Brasil e no exterior para apoiar e celebrar.

INVERNO 2015: NÃO JULGUE

Nosso inverno de 2015 falava de preconceito assumindo que somos todos preconceituosos em algum nível. No lugar de modelos trouxemos apenas pessoas consideradas "diferentes" pela sociedade.

VERÃO 2016: QUE SEJA RESERVA

Numa campanha de moda 100% colaborativa, enviamos kits da marca para influenciadores digitais, que fotografaram com liberdade total e divulgaram a campanha à sua maneira.

INVERNO 2016: MENINOS DE OURO

No ano olímpico resolvemos festejar os atletas da vida e fizemos uma homenagem à terceira e quarta idades. Memória é patrimônio e não envelhece.

VERÃO 2017: NÓS

Na temporada em que comemoramos nosso décimo aniversário, fechamos a rua Conde de Leopoldina, onde fica a nossa sede, para um verdadeiro desfile de rua, com direito a carros alegóricos e alas que contavam a nossa história, integradas por funcionários e parceiros da marca.

VERÃO 2018: DESBRAVADORES

Ao longo desta viagem chamada Reserva sempre fomos muito mais desbravadores do que turistas. Nunca estivemos na estrada pela certeza do destino e sim pela sua deliciosa incerteza, pelo vento no rosto, pelos amigos e pelas descobertas do caminho. E para representar esse espírito, ninguém melhor que Wally. A campanha foi inspirada no carismático mochileiro, aquele que por várias gerações procuramos.

Foi nessa temporada que voltamos ao SPFW num formato histórico: o desfile, que na verdade foi uma festa com banda, modelos misturados à plateia e muitos drinks, foi transmitido ao vivo *worldwide* e teve mais de meio milhão de espectadores. Pela primeira vez as roupas desfiladas estavam à venda no nosso site durante o desfile e nas lojas no dia seguinte.

INVERNO 2018: FILHO TEU NÃO FOGE À LUTA

Naquela temporada o Brasil vivia um momento sócio-político-econômico particularmente caótico e não dava para não se envolver. Convocamos Shogum e Demian Maia para estrelar uma campanha que foi um convite à luta contra tudo que nos incomodava e nos envergonhava.

Naquele inverno de 2018 convocamos nossos clientes e amigos a irem pro ringue com a gente contra o preconceito, a violência, a corrupção, a homofobia, o racismo, o ódio e tantos outros oponentes. A mensagem era simples, talvez a mais simples dentre todas as nossas campanhas: para vencê-los só precisamos de um peso-pesado chamado amor.

VERÃO 2019: RESERVAS

Dessa vez fomos buscar inspiração numa das maiores paixões nacionais: o futebol. Enquanto a maioria olha para a constelação de craques dentro das quatro linhas, a gente resolveu olhar para quem está fora. Os jogadores reservas têm não só talento, mas resiliência para acreditar e esperar silenciosamente a oportunidade de fazer a diferença.

Elegemos nove ídolos do futebol para contarem suas histórias de vitória e superação, diretamente do banco de reservas. Branco, Zinho, Ricardo Rocha, Diego, Cláudio Adão, Roberto Dinamite, Amarildo, Denílson e Sorato narraram, em conversas emocionantes, suas experiências memoráveis ao serem convocados a entrar em campo. Eles provaram que não dá para subestimar a Reserva.

INVERNO 2019: AUMENTA O VOLUME (O QUE IMPORTA ESTÁ DENTRO)

Ao invés de coleções grandes e semestrais começamos nessa temporada a lançar pequenos "drops" mensais. Para lançar o primeiro, ao invés de uma campanha de moda com as peças do drop, lançamos o clipe de uma música composta por novos nomes da música brasileira, de diferentes estilos, para um encontro musical inédito. Cada artista - Papatinho,

Jade Baraldo, Chris MC, Keops e Raony - colaborou com a sua voz e ritmo para criar a música "Reverbe".

Foi o início de mais um novo ciclo: a Reserva e suas mídias (roupas, lojas, site, mídias sociais, desfiles, catálogos etc) passavam a ser plataforma para amplificação das vozes, e da arte de pessoas admiráveis. Aumentar o volume pretendia ecoar – e dar relevância – a arte e a cultura brasileira.

VERÃO 2020: LIVRE PRA SER

A gente sempre fez roupa pro homem que gosta do próprio corpo e é o protagonista de sua vida. O que ele usa é confortável, funcional e básico, e a sua personalidade vem à tona quando ele monta a composição dessas peças. "Livre pra ser" é exatamente isso. No mundo do workwear e vários outros "wear", a Reserva faz o que chamamos de 'human wear': a personalidade é do ser humano e não da marca.

Para estrelar a campanha convidamos dezesseis amigos da Reserva – gente real, diversa e que admiramos. Gente que é livre pra ser Reserva. Nosso muito obrigado a Alberto Solon, André Fran, Bruno Iwasaki, Carlos Tufvesson, Alê Barba Ruiva, Fabiano Gomes, João Pedro Januário, Ricardo Allgayer, Fabrizio Giuliodori, Alfredo Soares, Daniel Barra e Gabriel Bernardes.

2015: BANCO DE RESERVA

Nós nunca fomos anunciantes. Nossas campanhas sempre foram 100% divulgadas pela internet e houve poucas exceções a essa regra. Uma delas foi quando demos um novo nome ao banco de reservas do Maracanã: Banco de Reserva. Para comemorar a parceria com o estádio, fizemos lá uma foto inspirada nos times de futebol da Europa e a divulgamos em um dos principais veículos impressos do país.

2015–2017: CAMAROTE RIO

Em 2015 fomos convidados para uma parceria pela A Vera!, agência carioca de marketing de encantamento. Eles haviam conseguido alugar um enorme espaço na Marquês de Sapucaí e lá colocariam de pé uma ideia tão simples como genial. Até aquele momento, os camarotes vips eram gratuitos e restritos aos artistas famosos. O Camarote Rio ofereceria o mesmo serviço, só que os ingressos seriam vendidos para quem desejasse ir. Eles nos convidaram para assinar a camiseta e a identidade do camarote. Passados três carnavais, hoje posso dizer que juntos construímos o camarote mais bacana e animado do carnaval carioca. Por edição, mais de 6 mil pessoas festejam a vida com o nosso pica-pau no peito.

2017: RESERVA NA TIMES SQUARE

Para contar ao mundo que tínhamos chegado à marca de 5 milhões de pratos de comida doados através do 1P5P (usereserva.com/1p5p), veiculamos um anúncio na cidade mais famosa e frenética do mundo: Nova York.

2019: FONTES HUMANAS

Deus mora nos detalhes, por isso eu nunca curti o fato de usarmos em nossa comunicação uma tipografia de uso comum. A autenticidade está no DNA da Reserva. Eu "cruzei" com o estúdio Plau navegando na internet, assistindo a um vídeo do processo criativo de uma tipografia deles e fiquei apaixonado. Logo depois, os convidamos para criar uma família tipográfica com o nosso jeitão Reserva, com a nossa voz. E como as pessoas são os maiores elementos de inspiração da Reserva, o Departamento de Fontes Humanas foi a deixa perfeita para o nome do projeto: Fontes Humanas.

Inverno 2011,
Decadence avec Elegance

Assista à campanha.

Inverno 2012,
Be yourself but not always the same

Assista à campanha.

Verão 2012,
Cuba Livre

Assista à campanha.
Aponte a câmera do seu celular para a imagem e assista ao vídeo.

Inverno 2013,
Inspiradores

Verão 2014,
Moda, Foque!

Assista à campanha.
Aponte a câmera do seu
celular para a imagem e
assista ao vídeo.

Inverno 2014,
Língua Brasileira

Assista à campanha.
Aponte a câmera do seu
celular para a imagem e
assista ao vídeo.

Assista à campanha.

Inverno 2015,
Não Julgue!

Verão 2016,
#QueSeja

Assista à campanha.
Aponte a câmera do seu
celular para a imagem e
assista ao vídeo.

Assista à campanha.
Aponte a câmera do seu
celular para a imagem e
assista ao vídeo.

Inverno 2016,
Meninos de Ouro

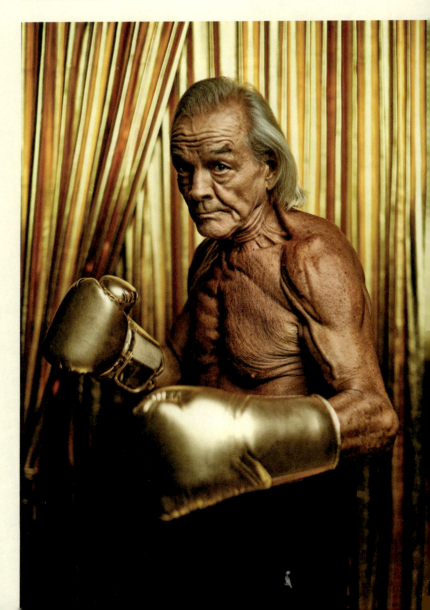

Verão 2017,
Nós

Assista à campanha.
Aponte a câmera do seu
celular para a imagem e
assista ao vídeo.

Verão 2018,
Desbravadores

Inverno 2018,
Filho teu não Foge à Luta

Assista à campanha.
Aponte a câmera do
seu celular para a
imagem e assista ao
vídeo.

Inverno 2019,
Aumenta o Volume
(O que importa está dentro)

Assista ao clipe oficial.
Aponte a câmera do seu
celular para a imagem e
assista ao vídeo.

Verão 2019,
Reservas

Assista ao vídeo da campanha.
Aponte a câmera do seu celular para a imagem e assista ao vídeo.

Assista à campanha. Aponte a câmera do seu celular para a imagem e assista ao vídeo.

Verão 2020,
Livre Pra Ser

PÁGINA ANTERIOR:
Assista à campanha do nosso Banco de Reserva. Aponte a câmera do seu celular para a imagem e assista ao vídeo.

Nosso pica-pau desfilando na Sapucaí durante o Camarote Rio 2017.

Assista aos melhores momentos do Camarote Rio 2017. Aponte a câmera do seu celular para a imagem e assista ao vídeo.

Anúncio na Times Square para comunicar a marca de 5 milhões de pratos doados através do 1P5P.

Boné, bolsa e caderno que integraram a coleção Fontes Humanas feita em edição limitada para o lançamento da tipografia da Reserva.

Assista ao vídeo sobre o processo de desenvolvimento de tipografia da Reserva.

Pra Re
mesmi
Não queri
de perto
parecido
marcas d

[fontes humanas]

R

RESERVA SANS REGU...
Gazeta publi
nota de faxi

RESERVA SANS MEDI...
Um pequen
viu dez cego

RESERVA SANS BOLD
Blitz prende ex vesgo
com cheque fajuto.

RESERVA SANS BLACK
Gazeta publica hoje breve
nota de faxina na quermesse.

Blitz prende ex vesgo
com cheque fajuto.

RESERVA SANS BLACK ITALIC
Gazeta publica hoje breve
nota de faxina na quermesse.

para a
elemento
u marcar uma
ferente: letras
e cantassem a
nossa rebeldia.

Recursos Avançados
OPENTYPE FEATURES

1ª 2º

¼ ½ ¾

ABCDEFGHIJ
KLMNOPQRS
TUVWXYZ!?
abcdefghij
klmnopqrs
tuvwxyz!?
1234567890.

Fontes Humanas é a nova voz tipográfica
da Reserva, uma fonte nascida a partir
da parceria com a Plau Design para expressar
com todas as letras a personalidade diversa
e cheia de atitude da marca, de A a Z.

REVISTA EM VEZ DE CATÁLOGO

Nossos primeiros catálogos me incomodavam. Nosso diálogo com a sociedade ficava muito restrito quando construído apenas por imagens. Por isso, conversando com a Karen Arman, nossa gerente de marketing na época, decidimos que não deveríamos fazer catálogos semestrais, mas revistas com imagens e matérias que dessem maior profundidade aos assuntos.

Foi um acerto. Boa parte de nossos consumidores que recebem catálogos em casa nem ao menos os abrem. Jogam tudo no lixo. Com a nossa *Revista Reserva* e o nosso *Revista-se de Reserva*, com tiragem semestral de 10 mil exemplares, subvertemos essa regra. Foram dez edições impressas. Hoje, todo o conteúdo de moda, comportamento, cultura e empreendedorismo está concentrado no portal revista.usereserva.com, semanalmente atualizado e com cerca de 100 mil acessos mensais.

STORYDOING EM VEZ DE STORYTELLING

A Reserva nasceu praticamente junto com o Facebook. Acredito que esta seja uma enorme vantagem competitiva. Nossos concorrentes tiveram que se adaptar a esse novo mundo, mas nós somos, de certa forma, uma consequência dele.

Enquanto todas as marcas se preocupavam em postar fotos de seus produtos e links para os seus sites – confundindo "comunicação" com "comercialização" –, a Reserva nasceu como usuária, pessoa física, das mídias sociais, entre outras milhões.

Quando você segue a Reserva nas mídias sociais, não está escolhendo uma marca, mas um amigo que vai falar sobre os mesmos assuntos que qualquer pessoa naquela mídia comenta, entre eles a moda.

As sete edições da *Revista Reserva*: diálogo mais profundo com nossos consumidores.

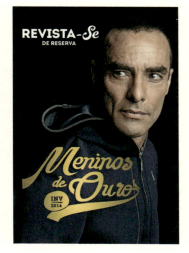
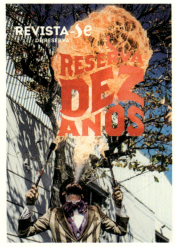

Edições do *Revista-se de Reserva*: conteúdo de moda, de amigo pra amigo, com linguagem simples e próxima.

Em 2012, quando tínhamos 24 lojas físicas, ultrapassamos 1 milhão de seguidores no Facebook. Um dia, um amigo perguntou por que nos interessávamos por aquelas pessoas, se muitas não tinham poder aquisitivo para comprar Reserva. Respondi que nossos clientes não precisam necessariamente comprar o que fazemos, apenas ter o interesse em sentar conosco na nossa mesa de bar para trocar ideias.

As mídias sociais nos permitiram ampliar a escala de nossa missão de marca a um nível altíssimo. Nelas, independentemente de credo, raça, religião, orientação sexual ou poder aquisitivo, conseguiríamos, de fato, ser amigos, além de marca.

Ao longo do tempo, passamos a utilizá-las também para recrutar amigos/seguidores para as nossas campanhas, como foi o caso da "Não Julgue!" Queríamos colocar um muçulmano e um judeu abraçados na campanha e fizemos um post em nossas mídias procurando por um muçulmano praticante. Descobrimos a pessoa que participou e nos permitiu a inspiradora imagem que virou capa de nosso *lookbook* e notícia para a imprensa.

A CULTURA DO CLIQUE

Vivemos num mundo cada vez mais dominado pelas mídias sociais. Vejo inúmeras vantagens nisso, porém as desvantagens também são inegáveis.

Nas mídias sociais, o que vale é a informação rasa e rápida. Milhões de pessoas compartilham assuntos em suas redes, todos os dias, movidas consciente e inconscientemente pela vontade de aumentar sua credibilidade social.

Compartilhar informação neste novo mundo significa também mostrar para todos que você sabe algo ou que foi o mais rápido a descobrir algo. Isso tem valor social.

Portanto, a mídia tradicional e as reportagens de qualidade vão cada vez mais sendo substituídas pelas novas mídias e pelo jornalismo raso e descontextualizado.

Como a necessidade de rapidez é imensamente superior à necessidade de qualidade no compartilhamento, nas mídias sociais acaba importando muito mais o espetáculo do que o conteúdo. Assim se forma uma geração de "jornalistas" mais preocupados com a polêmica do que com os fatos, porque a primeira certamente gerará mais cliques. E por que esses veículos precisam tanto de cliques? Suas versões impressas estão quebrando e, quanto mais cliques, independentemente da responsabilidade pelo jornalismo que fazem, maior será seu faturamento publicitário.

Ao longo do capítulo sobre comunicação, julguei necessário dizer que todas as vezes em que compartilhamos informação sem garantir sua qualidade somos coniventes com aquela informação, especialmente se for mentirosa, preconceituosa ou criminosa.

São centenas de milhares as vítimas de *cyberbullying* no mundo. Muitas delas acabam tirando a própria vida. São milhares de empresas expostas a maldades na internet. Muitas acabam quebrando e demitindo milhões de pessoas.

Compartilhar o mal, mesmo sem saber do que se trata, é também fazer o mal.

FOCO NOS CONSUMIDORES EM VEZ DE FOCO NOS CRÍTICOS

Os mercados de moda americano e europeu são movidos pelo licenciamento de marcas: cosméticos, *underwear*, mobiliário, *eyewear* e acessórios, entre outros, geram royalties milionários para que os estilistas possam se concentrar num enorme exercício artístico de passarela que vai gerar críticas positivas nas mesmas revistas que anunciarão seus licenciamentos.

O mercado de licenciamento de marcas nacionais não existe. O exercício aspiracional de passarela, para que seja economicamente viável, precisa ser financiado pela venda do próprio produto desfilado nela.

Por outro lado, a moda no Brasil não teve a visão nem a sensibilidade de perceber isso e acabou, pouco a pouco, levando muitos de nossos talentos para o abismo.

Nossa experiência no Fashion Rio nos fez concluir que desfilar para os críticos não nos traria felicidade nem sustentabilidade. As semanas de moda brasileiras acabavam desfilando o que chamamos de "roupas para astronautas", exercícios meramente aspiracionais, feitos para a crítica, não para os consumidores. Roupas que, infelizmente, jamais teriam tração comercial nas prateleiras das marcas que as desfilam.

Para nós, sempre foi claro que a maior parte dos homens não conseguiam compreender as imagens aspiracionais de passarela. Por isso, a Reserva fazia do entorno de seus desfiles – e não da roupa exibida – o seu show.

Cenários, performances teatrais, *flash mobs* e manifestos passaram a ser nossas ferramentas de diálogo com os consumidores em nossas passarelas.

Como até aquele momento os consumidores não entendiam o que se desfilava nas passarelas brasileiras, acabamos ganhando um montão de fãs quando exibimos roupas que davam vontade de usar – dentro de um show que dava vontade de acompanhar. Acabamos nos tornando diferentes porque fomos, e somos, de verdade.

Como diria um grande amigo: "A moda da Reserva é a sua *não moda*."

No verão de 2010, em "Safári Safado", abrimos o desfile com uma crônica escrita e lida pela Fernanda Young e fechamos com todos os modelos com marcas de batom pelo corpo. No camarim, foi um frenesi dos beijoqueiros.

No inverno de 2011, em "Decadence avec Elegance", colocamos o Lobão no meio do palco tocando rock e trouxemos um maquiador de cinema para transformar os modelos em idosos.

No verão de 2013, em "Família é o Novo Cool", levamos uma trupe de teatro para que, em vez de um desfile, fizéssemos um musical inspirado pela nova e multifacetada família brasileira.

No inverno de 2014, em "Língua Brasileira", fizemos o maior desfile de moda do mundo. Dentro do calendário do Fashion Rio, motivados pelo ridículo fato de que não existe língua brasileira e sim portuguesa, enchemos um caminhão--vitrine com casais se beijando de língua. Foram 52 quilômetros de desfile pelas ruas da cidade.

Em meados de 2014, sentíamos que havíamos chegado ao fim de um ciclo em nossos desfiles. Não concordávamos com o formato das semanas de moda brasileiras, mas não estávamos conseguindo convencer ninguém disso. Não fazia sentido desfilar uma coleção que apenas chegaria às lojas dali a seis meses. Por isso, fizemos "Moda, Foque!", desfile de despedida que deu muito o que falar.

As crises brasileira e internacional que vieram logo em seguida forçaram uma aproximação da moda com a sociedade, e um exercício criativo menos exclusivista e mais democrático virou regra.

A distância entre a apresentação na passarela e a chegada na arara diminuiu de 180 para zero dias. Desfile e vendas passaram a acontecer simultaneamente.

E então, em março de 2017, resolvemos voltar ao SPFW, porque é esta a lógica com a qual nos identificamos.

Resolvemos fazer do formato de apresentação o próprio tema do desfile e através dele propor ao mercado uma nova maneira de pensar e produzir eventos de moda.

A lógica do desfile poderia ser explicada num simples pingue-pongue de questionamentos que sempre nos fizemos:

1. Para que uma passarela longa e distante das pessoas?

Acreditamos que nenhuma parede pode separar as pessoas: jornalistas, parceiros e consumidores.

Somos todos iguais, e, por isso, derrubamos a passarela. Decidimos montar uma festa na qual todos estariam misturados.

2. Para que ter modelos andando a metros de distância dos olhos se as pessoas querem tocar e ver de perto o produto?

Nossos modelos são amigos da marca. Em vez de desfilarem em uma passarela óbvia, eles ficaram em pé e acessíveis a todos, assim como os convidados... Eles não só vestiram como podiam explicar as roupas no tête-à-tête. Ah! Óbvio, também tiraram muitas selfies com nossos convidados.

3. Para que uma trilha musical se não podemos dançar?

Antes nós gastávamos uma fortuna para fazer uma trilha incrível para os nossos shows e as pessoas no máximo balançavam a cabeça e repetiam refrões. Resolvemos mudar isto.

A nova e incrível banda de jazz carioca MeA Brass Band soltou o som ao vivo para o nosso get **together**.

4. Por que convidaríamos amigos para o nosso show e não lhes serviríamos bebidas?

Nunca fizemos amigos bebendo leite! Em casa recebemos com bons drinks.

As pessoas pegavam um drink, curtiam um jazz e circulavam entre modelos, observando a coleção.

Muitos de nossos estilistas inclusive explicaram a coleção sentados no bar com colegas jornalistas.

5. Para que gastar uma fortuna com a impressão de um convite refinado se podemos utilizar sobras de papel e fazer caridade?

Através do nosso projeto Reserva 1P5P, usamos o dinheiro para doar refeições em nome dos convidados (usereserva. com/1p5p). Sempre tivemos muito mais convidados do que convites para distribuir.

Por isso, dessa vez a nossa festa foi transmitida ao vivo em todos os nossos canais de comunicação, como lojas e mídias sociais. A cobertura ao vivo foi comandada pelo nosso genial amigo Caio Fischer.

Além disso, com o objetivo de fazer deste o maior desfile da história em quantidade de espectadores, montamos um pré-cadastro para assistir ao show ao vivo na internet, com direito a desconto nas compras da coleção para quem divulgasse o show nas mídias sociais. Cerca de 20 mil pessoas se inscreveram e foram notificadas para que acessassem o site alguns minutos antes do show.

6. Para que apresentar uma coleção incrível a seus clientes se ela só chegará às lojas seis meses depois?

Nós começamos a vender a coleção no nosso site no momento em que iniciamos o desfile e em todas as lojas físicas da marca no dia seguinte.

Além disso, instalamos dentro da própria bienal dois terminais **touchscreen** *onde nossos times vendiam as peças da coleção que ali estava sendo apresentada.*

Os resultados do evento foram espetaculares: 550 mil pessoas assistiram ao nosso show na internet, e lá também tivemos mais de 300 mil menções. Além disso, o lucro da venda que fizemos em nosso site e nas lojas mais do que pagou a realização do evento.

Inverno 2007,
Street Cowboys;
Verão 2008,
Tropical Rockers e
Inverno 2008,
Califórnia.

Verão 2009,
Dandys Tropicais

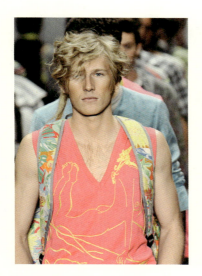

Assista ao desfile.
Aponte a câmera do seu
celular para a imagem e
assista ao vídeo.

Inverno 2009,
Love Survivors

Assista ao desfile.
Aponte a câmera do seu
celular para a imagem e
assista ao vídeo.

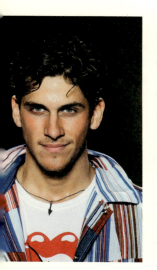

Verão 2010,
Safári Safado

Inverno 2010,
15 minutos de fama

Assista ao desfile.
Aponte a câmera do seu
celular para a imagem e
assista ao vídeo.

Verão 2011,
Zboys

Assista ao desfile.
Aponte a câmera do seu
celular para a imagem e
assista ao vídeo.

Inverno 2011,
Decadence
avec Elegance

Assista ao desfile.
Aponte a câmera do seu
celular para a imagem e
assista ao vídeo.

**Verão 2012,
Cubra, Libre?!**

Assista ao desfile.
Aponte a câmera do seu
celular para a imagem e
assista ao vídeo.

Assista ao desfile.
Aponte a câmera do seu
celular para a imagem e
assista ao vídeo.

Verão 2013,
Família é o Novo Cool

Assista ao desfile.
Aponte a câmera do seu
celular para a imagem e
assista ao vídeo.

Verão 2014,
Moda, Foque!

Assista ao desfile.
Aponte a câmera do seu
celular para a imagem e
assista ao vídeo.

Inverno 2014,
Língua Brasileira

Inverno 2017

Assista ao desfile.
Aponte a câmera do seu
celular para a imagem e
assista ao vídeo.

"A RESERVA CRIOU E CONTINUA CRIANDO UMA NOVA MANEIRA DE FAZER MODA: MAIS CRIATIVA, COLABORATIVA E HUMANA – MAIS CONECTADA COM AQUILO QUE A GENTE TÁ VIVENDO."

—

ANDRÉ CARVALHAL

TRANSFORMANDO LIMÕES EM LIMONADAS

Pense comigo. Quando você está muito ferrado, as pessoas esperam que você quebre, correto? Por isso, qualquer coisa que você fizer – e que não seja quebrar – chamará atenção daqueles que têm certeza de seu fracasso. E quando você não se leva a sério e tira sarro daquele problema, a repercussão engrandece e viraliza.

Foi nos momentos de crise que a nossa marca mais repercutiu, e gostaria de dividir com vocês algumas dessas histórias.

HISTÓRIA 1

TIRANDO SARRO DE NÓS MESMOS
POR CAUSA DA CRISE

Em agosto de 2013, nossa loja dos Jardins sofreu um assalto. Os bandidos jogaram uma enorme pedra na vitrine e invadiram a loja, roubando todos os itens que puderam carregar.

Nós consertamos tudo e, três meses depois, em 7 de dezembro, a loja foi roubada novamente – da mesma forma. Dessa vez, com muita raiva e sensibilizado pelo fato de que isso poderia prejudicar o Natal da nossa turma, peguei o primeiro voo para São Paulo.

O assalto havia sido por volta das 5h. Quando cheguei à loja, às 9h, ela estava sem vitrine, mas limpa e com o time arrumado e vendendo, como se nada tivesse acontecido.

Aquilo me emocionou. Enquanto eu reclamava da vida dentro do avião, o nosso time ignorou o problema e se reinventou. Eu precisava mostrar ao mundo esse exemplo de que a esperança vence o medo. Voltei para o Rio.

Quando cheguei ao escritório, havia uma pequena multidão na sala da auditoria, onde fica o monitoramento de todas as lojas. Eles estavam vendo o vídeo do assalto, e um dos nossos designers na época, o Davi, virou-se para mim e perguntou se eu permitiria que a turma fizesse um vídeo com as imagens do assalto. Respondi que sim, desde que ele me mostrasse, antes de divulgar.

Dias depois, o Davi me mandou um link por e-mail. Quando o abri, quase caí da cadeira de tanto rir. O vídeo começava falando da nossa liquidação progressiva. De repente, entram as imagens do assalto. Os ladrões jogam uma pedra na vitrine e entram. Em seguida, passam a mão nas bermudas, e entram os caracteres: "Bermudas!" Eles pegam camisas, e entram os caracteres: "Camisas!" Quando pegam todos os itens da loja, aparece a chamada final: "Mas corra porque tem gente fazendo loucuras pela Reserva."

Eu apenas dei um título ao vídeo: "Reserva: transformando limão em limonada" e escrevi o texto no YouTube: "Já que vocês roubaram a nossa loja, estamos nos dando o direito de roubar os seus direitos de imagem, torcendo para que apareçam para nos cobrar isto."

Lançamos na internet e rapidamente o vídeo virou hit. Quase todos os veículos nacionais e internacionais deram a notícia: *El País*, *The Guardian*, *New York Times*... Pouco depois, lançamos uma vitrine de liquidação inspirada no vídeo.

Assista ao vídeo do assalto que virou campanha de marketing. Aponte a câmera do seu celular para a imagem e assista ao vídeo.

HISTÓRIA 2

FAZER DA CRISE UM EXEMPLO DE SUPERAÇÃO E REINVENÇÃO

Após os assaltos de 2013, nossa loja dos Jardins sofreu um terrível incêndio no início de 2014 e desmoronou. Uma funcionária ficou presa nos escombros e foi salva pelo Corpo de Bombeiros de São Paulo. Fui avisado por amigos que passavam pelo local e corri para o aeroporto.

A verdade é que não estava nem aí para a loja, mas morria de preocupação com a garota. Eu me lembro de pensar que, se acontecesse algo com ela, eu não seria mais capaz de gerir a Reserva.

Quando temos uma rede de lojas, imaginamos um monte de coisas boas e ruins que podem acontecer com o negócio, mas jamais que alguém venha a passar por uma situação como aquela.

Fui direto para o Hospital das Clínicas, e passei o dia com ela, que, graças a Deus, se recuperou rapidamente.

Passado o susto, começamos a encarar aquela loja como um símbolo, uma fênix que renasceria das cinzas. Então, fiz o seguinte post em nossas mídias sociais:

> Quando levantamos lojas, fazemos filhos nascer. Quando botamos pessoas dentro, casamos com elas, na responsabilidade de fazer este filho crescer saudável e com muito amor.
>
> Na sexta-feira da última semana, um de nossos filhos pegou fogo: a loja dos Jardins. Dentro dela estava a Gabi, que se recupera muitíssimo bem, graças ao belíssimo

trabalho do Corpo de Bombeiros de São Paulo [...].
É necessário agradecer, saudar e parabenizar.

Gabi também se recuperou pelo amor que recebeu de todos que com ela trabalham [...].

A loja? Podem assaltar, queimar ou destruir. Sem as pessoas que trabalham ali dentro todos os dias, ela não é nada, não representa nada.

Esse pica-pau [...] será novamente colocado de pé pela mesma família que, na sexta-feira, se esqueceu completamente da loja para focar no que de fato importa: as pessoas.

A essa altura, todos os nossos amigos e familiares nos diziam que deveríamos vender aquela loja porque ela nos trazia má sorte. Desculpem-me, mas vender a loja é o cacete! Muito pelo contrário, aquela loja seria o nosso *tour de force*. Não apenas a levantaríamos novamente como faríamos dela uma semente de futuro para a marca. Dela, nasceria a nova Reserva.

Queríamos, havia muito tempo, transformar nossa experiência de marca em serviço, e, por isso, reconstruímos a loja com três andares: no primeiro, a loja; no segundo, nossa barbearia; e, no terceiro, um *coworking* e uma cafeteria.

Não costumamos fazer festa de abertura de loja, mas inauguramos a nossa "Embaixada de Marca" em agosto de 2014, com um show do Emicida.

Para convidar nossa turma, mandei outro e-mail.

Reserva Jardins (SP):
das cinzas à
embaixada da marca com
show de Emicida
na reinauguração.

[...] Muitos amigos e familiares me procuraram e sugeriram que mudássemos de ponto e que fechássemos a loja (dos Jardins) após o terceiro (dois assaltos + incêndio) grande problema.

Não acredito nisso! Acredito na fé e no amor pelo que fazemos, acredito na nossa família de guerreiros(as) que faziam daquela loja um segundo lar para eles(as) e para nossos(as) amigos(as) clientes. E não só decidimos não fechar a loja como decidimos transformá-la na *flagship* paulista da marca, a nossa embaixada em SP.

O que preparamos para a reinauguração:

Doamos o estoque de três mil itens que havia na loja (único bem que não foi perdido no incêndio) para o Instituto Mensageiros, um parceiro do Corpo de Bombeiros de São Paulo, que beneficia através de ações socioeducativas cerca de 360 crianças e adolescentes de 10 a 15 anos em situação de vulnerabilidade social.

Na loja-embaixada, além da Reserva, Reserva Mini e Reserva pra Bebê, haverá:

- Uma pequena livraria com títulos selecionados que nos inspiram.
- Uma parede dos amigos do bairro, decorada com objetos doados por moradores ilustres e ícones dos Jardins, do segurança mais simpático ao dono da banca de jornais mais antiga – uma homenagem àquela comunidade.

– Uma (bar)bearia, em parceria com a marca de cosméticos masculina Dr. Jones.

– Laje Reserva, uma espécie de sala de estar com direito a área externa, para recebermos amigos e clientes para eventos, festas e debates. A cada mês, um convidado diferente virá para trocar ideias sobre cultura, novos comportamentos e negócios de sucesso.

É com muito orgulho e alegria que, através deste e-mail, o convido para a nossa festa de re-inauguração-invenção. Vai rolar no dia 7, das 15h às 21h, na rua Bela Cintra, 2.149, quase esquina com a Oscar Freire.

Te esperamos lá!

Rony Meisler.

O modelo de loja multisserviço é hoje o de nossa expansão e reforma de lojas antigas. A loja dos Jardins, desde sua reinauguração, tem crescido uma média de 30% ao ano.

HISTÓRIA 3

FAZENDO DA CRISE, A PRINCÍPIO "INIMAGINÁVEL", A SUA PRÓPRIA SOLUÇÃO

Temos a honra de já ter vestido boa parte de nossos ídolos nacionais e muitos internacionais. Nunca ninguém me ligou para dizer que algum deles estava usando Reserva. Um dia, isso mudou...

Diego Raimundo da Silva Santos, ou Mister M, era segurança do "dono" do Complexo do Alemão. Em 2011, quando o exército invadiu a comunidade para a implantação de uma Unidade de Polícia Pacificadora (UPP), Diego fugiu para a UPP da Vila Cruzeiro.

No dia seguinte, por estímulo de José Júnior, do AfroReggae, o Diego, acompanhado por sua mãe, se entregou à polícia. Na ocasião, ele usava uma camisa polo com um enorme pica-pau.

No momento em que ele se entregava, eu estava no Shopping Leblon. Havia deixado o telefone na loja para ir almoçar e, quando retornei, sem saber do que tinha acontecido, havia dezenas de ligações não atendidas em meu celular.

Desesperado, liguei para o primeiro amigo da lista. Ele atendeu exaltado e disse:

— Um traficante do Alemão se entregou para a polícia usando uma polo falsa da Reserva.

Eu acessei a internet e, na capa de um portal de enorme audiência, lá estava o Mister M. Estupefato, a única coisa que consegui responder foi:

— Pô, mas não é falsa não.

Liguei para o José Júnior. Perguntei o que achava e ele me disse em tom de brincadeira:

— Rony, até onde eu sei, quando alguém aparece em rede nacional usando a nossa marca, isso é bom.

No momento em que o Mister M bombou na mídia, nós já trabalhávamos juntos na construção do branding do AR, selo para licenciamento do AfroReggae.

Além de criarmos a marca e de desenvolvermos todo o seu *brandbook*, que doaríamos para o AfroReggae, a Reserva seria também a primeira empresa a licenciar o selo.

Então o Júnior veio com a ideia:

— Todas as maiores marcas do mundo já tiveram casos em que traficantes ou criminosos foram presos usando seus produtos. Só que todas elas jogam a poeira para debaixo do tapete. Por que a Reserva não assume o papel de protagonismo para mostrar que a reinserção social é, sim, possível? O Diego cumprirá nove meses de pena. Vamos acompanhá-lo e, caso queira sair dessa vida, vamos arrumar um emprego para ele e usá-lo de garoto-propaganda na campanha de lançamento do AR!

Genial! Nove meses depois, já em liberdade, Diego manifestou o desejo de se formar cinegrafista e de trabalhar para o AfroReggae.

Nós contamos sobre o projeto para o fotógrafo JR Duran, que topou clicar a campanha de lançamento da coleção Reserva para o AfroReggae. Ficou incrível! Em uma das fotos, três ex-traficantes e cincos policiais do Batalhão de Operações Policiais Especiais (Bope) estão juntos e sorrindo, no alto do Complexo do Alemão.

Diego da Silva,
o Mister M, vestindo a
nossa polo quando se
entregou à polícia e
tempos depois como
modelo em campanha
com o AfroReggae.

Lançamos o projeto e a campanha na São Paulo Fashion Week, com exposição das fotos do Duran e uma mesa-redonda que discutia a responsabilidade social na moda e a importância do Afro-Reggae. O projeto e a limonada da Reserva rodaram o mundo em editoriais de jornais e revistas. O AR já foi licenciado por marcas como Evoke e C&A, além da Reserva.

O AfroReggae

Importante contar que, naquele momento, o Júnior já havia se tornado um grande amigo e uma figura relevante na minha vida. Luciano Huck havia nos apresentado alguns anos antes sob o pretexto de que "dois loucos de bem, quando se misturam, produzem boas coisas".

Eu era preconceituoso com relação ao trabalho de reinserção social que o Júnior fazia com ex-criminosos. Para mim, "bandido bom era bandido morto". E foi isso que eu respondi ao Júnior quando ele me perguntou se eu gostava do AfroReggae. Ele devolveu com um convite:

— Você me daria a chance de apresentá-lo ao projeto e assim mudar a sua percepção?

Topei e o Júnior me mandou para Bangu 1. Fui conversar com criminosos de "alta periculosidade". Saí de lá impressionado com a inteligência e a retórica deles, alguns até prontos para serem CEOS de qualquer companhia deste país.

Também saí de lá certo de que, se continuássemos com a demagogia utópica da pena de morte em vez do estímulo à reinserção social, seria pior para todos nós, pois aqueles criminosos não teriam outra opção senão o retorno ao crime.

Outro lugar para o qual o Júnior me mandou foi o Centro Cultural Waly Salomão, em Vigário Geral, onde o AfroReggae ministrava 36 projetos de reinserção social que vão de circo a curso de informática.

Depois daquela visita, além de ter jogado no lixo todos os meus preconceitos, entendi que algo precisava ser feito para tornar o AfroReggae uma iniciativa sustentável financeiramente. Até aquele momento, o projeto se mantinha com a ajuda de patrocinadores da iniciativa privada.

Por isso, chamei o Júnior e alguns diretores do grupo para sugerir uma ideia: e se eles licenciassem o AfroReggae e seu conteúdo? Algo no formato do RED, criado pelo Bono Vox para a compra de coquetel antiaids na África.

No caso do AfroReggae, os *royalties* oriundos do projeto seriam revertidos para a manutenção dos seus próprios projetos. Eles se amarraram na ideia!

Com a palavra, José Júnior. Aponte a câmera do seu celular para a imagem e assista ao vídeo.

Campanha de lançamento do Selo AR, clicada por JR Duran.

—

"A RESERVA TEM A MESMA OUSADIA QUE A BENETTON TINHA NOS ANOS 1990."

—

JOSÉ JÚNIOR

TRANSPARÊNCIA

O Brasil é um dos países com ambiente mais hostil para se fazer negócios. Aqui tudo parece impedir a prosperidade de uma empresa: tributos altos, burocracia, falta de acesso a crédito, ineficiência logística, falta de mão de obra qualificada etc.

Isso eleva nossos custos operacionais a níveis muito altos para manter o nosso padrão de qualidade – sem contar o custo de todos os projetos sociais que tocamos sem nenhuma isenção fiscal e a nossa decisão de trabalhar com produtos fabricados nacionalmente.

Para manter essa política social e operacional, nosso preço precisa ser alto, mas não seria justo se não informássemos isso aos consumidores com total transparência.

Hoje, quando um cliente compra na Reserva, juntamente com a nota fiscal encartamos um cupom de transparência que detalha todos os custos daquela compra, desde os impostos até o custo da mercadoria.

Pelo cupom, o consumidor é informado até sobre o lucro líquido da compra que acabou de fazer. Amigo que é amigo não tem o que esconder.

Um relacionamento genuíno acolhe as diferenças e se constrói baseado na verdade. É esse o tipo de relacionamento que a Reserva almeja com nossos clientes.

FILOSOFIA DE PRODUTO

PRODUTO COADJUVANTE
EM VEZ DE PROTAGONISTA

"Se eu fosse perguntar às pessoas o que elas queriam, eu teria montado uma fábrica de cavalos", disse, certa vez, Henry Ford.

Se eu o tivesse conhecido, diria a ele que sim, que deveria perguntar às pessoas o que elas queriam. Elas certamente não diriam que queriam um carro, mas com certeza não responderiam algo que o levasse a montar uma fábrica de cavalos.

Não perguntar para os consumidores o que eles querem não deveria ser motivo de orgulho, mas atestado de burrice, mesmo não sendo garantia de sucesso. Ford arriscou e levou, mas, ao não se interessar pelos seus consumidores, assumiu um risco maior do que o necessário. A moda vende o estilo de vida de seus criadores como principal argumento para a criação de suas coleções. Como consumidor, para mim seria muito mais interessante se, em vez de me impor um estilo, as marcas me convidassem para um diálogo, de maneira que o estilo seria nosso – pois nasceria da nossa convivência.

◉ **COMPARTILHE ESTA IDEIA!**

"NÃO PROCURE CLIENTES PARA SEUS PRODUTOS, PROCURE PRODUTOS PARA SEUS CLIENTES."

SETH GODIN

@RESERVA

Por isso, fizemos um pacto com a despretensão e com a humildade. Jamais faríamos roupas que fossem protagonistas, mas sim coadjuvantes, para dar destaque aos reais astros da vida: as pessoas que as usariam.

Não é à toa que usamos o mote "Roupas de verdade para pessoas de verdade". Tenho um grande amigo que costuma dizer que o grande "pulo do gato" da Reserva foi perceber que boa parte dos consumidores brasileiros não entendia nada do que via na passarela. Então, nós, que também não entendíamos, fizemos da "Não Moda" a nossa "Moda". Para nós, a roupa é mídia, um veículo através do qual nos comunicamos com o mundo.

A roupa é como se fosse uma revista em branco na qual temos a oportunidade de imprimir, todos os semestres, um argumento sobre o qual podemos diálogar com nossos clientes. Muito mais do que modelagens, matérias-primas, cores e aviamentos, roupa para nós sempre foi veículo de comunicação.

Quando a Reserva dava seus primeiros passos, o Nandão trouxe uma figura importantíssima para o nosso futuro: Claudinha Moraes, até hoje nossa diretora de Compras, que muito precocemente organizou os processos de nosso Departamento de Compras e montou um timaço.

O Departamento de Estilo é tocado pelo Igor de Barros. Talento reconhecido pelo mercado da moda nacional, sempre sonhei em tê-lo à frente do nosso produto. Quando o conheci entendi por quê: além de perfeccionista e talentoso, num mercado guiado pela vaidade, Igor é a afetividade e a gentileza em forma de gente. Quando retornamos ao SPFW, em março de 2017, Igor fez seu primeiro desfile da Reserva e quebrou a banca!

Desde muito cedo, operamos compras não apenas com base em estilo, mas também na nossa sustentabilidade financeira. Metas de margem e de cobertura de estoque, *open to buy*, reuniões semanais e encontros de planejamento comercial acontecem desde os primórdios da Reserva – isso em um mercado no qual a profissionalização em compras costuma vir tardiamente, e quando vem. Crescer ordenadamente e com o "caixa na mão" nos trouxe uma enorme vantagem competitiva.

No mercado de moda, normalmente o Departamento de Estilo tem problemas com o Departamento de Compras e vice-versa. Por isso, desde muito cedo, o Nandão juntou os dois.

Nosso Departamento de Produto, liderado por ele, é organizado em duplas de estilistas e compradores que se complementam e se respeitam profundamente. Um não vive sem o outro.

Escolhemos dez pessoas, entre amigos e desconhecidos, que seguiríamos nas mídias sociais e na vida. As coleções da marca seriam inspiradas naquilo que eles usavam e propunham com seus comportamentos. Da forma de vestir desse grupo de pessoas, identificamos seis "modos de uso": casual, noite, praia, trabalho, jeans e esporte.

Normalmente, as empresas de moda têm estilistas por categoria de produto: malharia, tecido plano, jeans etc. Na Reserva, decidimos organizar o Departamento de Produto com coordenadores por modo de uso.

A consequência disso é que, na Reserva, um estilista não é especialista nesta ou naquela categoria de produto. Ele aprende a coordenar uma coleção da cabeça aos pés.

O resultado foi que, ao mesmo tempo que criamos uma fábrica de talentos e de potenciais estilistas-chefes, possibilitamos maior unidade estética e funcional nas nossas coleções.

Com a palavra, Claudia Moraes. Aponte a câmera do seu celular para a imagem e assista ao vídeo.

Nas lojas, as coleções também chegam organizadas por "modo de uso". Isso faz com que nossos times de produto possam também atuar nas lojas, cobrando melhor exposição, reposição e vendas, com base na visualização da linha de produtos.

O desenvolvimento a partir do "modo de uso" colocou o consumidor como protagonista no desenvolvimento do produto, na arrumação das lojas e no comercial.

FORNECEDORES

O Grupo Reserva sempre se preocupou com a sustentabilidade de sua cadeia de fornecimento.

Somos certificados pela Associação Brasileira do Varejo Têxtil (ABVTEX) desde o início da marca. A certificação garante ao consumidor a certeza do monitoramento e da auditoria do impacto socioambiental de todos os nossos fornecedores. Não trabalhamos com fornecedores não certificados.

FEITO NO BRASIL

Quando começamos a Reserva, num contexto de taxa de juros e dólar baixos, havia uma forte onda migratória das marcas nacionais para a indústria internacional, principalmente a asiática. Nós optamos pelo caminho oposto. Nossa produção seria preferencialmente feita em nosso país.

Hoje 95% da nossa produção é brasileira e nossos produtos nada devem em qualidade aos importados da concorrência. Por idealismo – já que financeiramente este não é o melhor negócio –, geramos renda e emprego aqui. Os outros 5% são produzidos em outros países da América Latina, pois parte da indústria nacional quebrou ou não consegue nos atender por causa do nosso volume de compras. Apenas nesses casos buscamos alternativas ao Brasil.

QUEM FAZ

A maioria de nossos fornecedores está conosco desde nossos primeiros passos, e, após a crise que começou em 2014 e se agravou em 2016, resolvemos fazer algo por eles.

Por isso, em agosto de 2016, lançamos o "Quem Faz a Reserva."

Nossa turma rodou o país, visitando, fotografando e entrevistando nossos parceiros para que, na página de cada produto no nosso site, os clientes pudessem saber detalhes da história e do processo de produção daqueles que fizeram aquelas peças. Para saber mais, acesse usereserva.com/usereserva/quem-faz.

FAÇA VOCÊ

Segundo Chris Anderson, no livro *A cauda longa*,

> *vez por outra, o talento acabava conquistando acesso às ferramentas de produção; agora, é o contrário. A consequência de tudo isso é que estamos deixando de ser apenas consumidores passivos para passar a atuar como produtores ativos. E o estamos fazendo por puro amor pela coisa.*

O nosso foco no desejo de nossos consumidores nos levou a uma decisão que criou a "cauda longa" da Reserva. Em 2014, durante um *brainstorming* criativo a respeito das estampas de nossa coleção de camisetas, eu perguntei aos designers:

— Por que não usamos o nosso site para que os consumidores desenhem a sua camiseta da Reserva?

Pedro Cardoso, naquele momento CEO da Use Huck, sugeriu que começássemos com algo simples. No site, clientes poderiam escrever até quatro palavras, que seriam separadas por um "&", sempre usando a tipografia padrão da marca.

Por exemplo:

Rebelde&
Livre&
Amigo&
Reserva.

Para isso, usaríamos a estrutura de impressão têxtil da Huck (ver capítulo Novos Negócios).

Além das camisetas, nossos consumidores também poderiam customizar polos e camisas oxford, escolhendo cores de bordado da logomarca e incluindo seus monogramas.

Essas roupas estariam em nossa prateleira virtual, mas não em nosso estoque. E é aí que reside a beleza do negócio: a venda seria customizada e feita sob demanda, sem risco de que o estoque encalhasse.

Desenvolvemos a tecnologia e, em quarenta e cinco dias, o "Faça Você" estava no ar. Foi um sucesso! Vendemos quase cem camisetas por dia e o boca a boca cresceu ao redor do negócio. Foram camisetas para casamentos, despedidas de solteiros, formaturas, churrascos, chopadas, aniversários etc.

O "Faça Você" é a prova real de que o consumidor também é produtor de conteúdo e divulgador de marca. São centenas de milhares de fotos das camisetas feitas por eles postadas em suas mídias sociais. Em 2017 lançamos a segunda versão do "Faça Você". Nela, além da possibilidade de escrever nas camisetas, incluímos uma ferramenta de edição de estampas on-line. Através da ferramenta nossos consumidores conseguem criar e manipular artes e imagens dentro do nosso site. Além disso, a ferramenta também permite o upload de fotos direto das mídias sociais para a criação das camisetas.

Muito em breve, novas marcas ou designers de todo o país poderão usar o "Faça Você" em nosso site e comprar em quantidade, a preço de atacado, para revenda.

Interface do "Faça Você": imagens, textos ou tudo junto – o cliente é quem manda.

Assista à campanha do "Faça Você".
Aponte a câmera do seu celular para a imagem e assista ao vídeo.

3G

Tenho um grande amigo que passou por uma cirurgia de redução de estômago e perdeu mais de 50kg. Certa vez, enquanto jantávamos, ele me contou que, quando era gordo, os momentos mais infelizes aconteciam quando era obrigado a entrar numa loja com numeração especial para comprar roupas.

Ele se sentia muito deprimido por não poder comprar, ou ser aceito, pelas marcas de moda. Fiquei comovido e me senti um babaca por não fazermos roupas para os mais gordinhos.

Conversei com o Nandão e, na hora, decidimos mudar essa história. Nascia ali o 3G, nossa nova numeração. A partir daquele momento nós venderíamos também roupas GGG além de P, M, G e GG.

Para o lançamento da nova numeração, convidamos o Leo Jaime, que se tornou embaixador da marca desde então.

Hoje, com enorme orgulho, aproximadamente 10% de nosso faturamento é obtido com as peças tamanho 3G.

PARALIMPÍADA

Em meados de 2015, o Paulo Borges, fundador e produtor da São Paulo Fashion Week, me ligou para nos convidar para um concurso. Ele havia sido contratado para fazer uma curadoria de marcas que desenhariam os uniformes das delegações Olímpicas e Paralímpicas brasileiras.

Antes do convite oficial, eu disse de bate-pronto: "Quero a Paralímpica!" Ele riu e me disse que seria esse mesmo o convite, por causa do nosso histórico na área social.

O desafio era enorme, porque o manual do evento nos obrigava a trabalhar alfaiataria clássica com estamparia tropical. Era difícil esteticamente, mas topamos e nos inspiramos na Floresta da Tijuca, maior floresta tropical urbana do país, para a criação da estampa e do desenho dos uniformes.

O amigo Leo Jaime
para o lançamento da
linha 3G: tem quem
prefira grande.

Assista à campanha.
Aponte a câmera do seu
celular para a imagem e
assista ao vídeo.

A Delegação Paralímpica
na cerimônia de abertura
no Maraca: orgulho.

No evento de lançamento dos uniformes, reproduziram o vídeo oficial da competição nos telões e me emocionei profundamente.

No país onde até mesmo para o atleta olímpico é quase impossível arrecadar recursos para sua preparação, imagine para o paralímpico.

Quando nunca havíamos sido campeões olímpicos no futebol, já havíamos sido campeões nas últimas oito Paralimpíadas!

Quantos de nós sabemos disso? Lembrei de nossa campanha "Não Julgue!" e me reconheci como preconceituoso. Por que nunca prestamos atenção nesses heróis?

É como disse o ex-judoca e agora apresentador e empreendedor social Flávio Canto:

— A Reserva não vestirá superatletas, mas super-humanos.

No dia 6 de setembro de 2016, completamos 10 anos da marca. No dia seguinte, começou a Paralimpíada no Rio de Janeiro. Coincidência? Já deixei de acreditar nisso há muito tempo. Não poderia haver melhor presente de aniversário!

Quando esses heróis entraram vestidos de Reserva na cerimônia de abertura, mostrei para meus filhos com muito, mas muito orgulho, e disse a eles que deveriam ser como essas pessoas quando crescerem.

RESIST&®

E se investíssemos para transformar o Brasil numa referência em tecnologia têxtil? E se nos inspirássemos em nossa tropicalidade para desenvolver um tecido que não molhasse e não manchasse? E se, além disso, esse tecido fosse 100% algodão orgânico e causasse o menor dano possível ao meio ambiente?

E se ele pudesse ser usado para fazer camisetas, calças e jaquetas? E se ele não custasse tão mais caro por tudo isso? Esse foi o sonho do meu sócio e irmão Fernando Sigal e eu

Fotos da campanha de lançamento do Resist&®: tecnologia usada pra melhorar a vida das pessoas e trazer soluções práticas pro dia a dia do cliente.

Conheça a
Linha Resist&®.

confesso que não acreditei nele. Que bom que ele me ignorou e depois de dois anos de trampo pesadíssimo lançamos a linha Resist&.

A MELHOR CALÇA DO MUNDO®

A calça Casual Flex é a melhor calça já feita pela Reserva e por isso a batizamos carinhosamente de "a melhor calça do mundo". Sua composição é elástica, não amassa, seca rápido, além de ser resistente a sujeira, líquidos e gordura. Seu tecido é totalmente respirável, antibacteriano, antiodores, tem proteção UV e ainda é biodegradável. Para completar, incluímos na peça um bolso para celular, bolsos secretos antifurto e um cadarço interno para melhor ajuste no corpo. Dentro do mesmo guarda-chuva de produto, já temos a melhor bermuda, a melhor camisa (*and counting*).

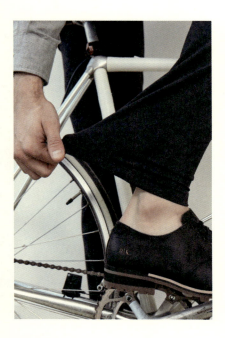

Detalhe da melhor calça do mundo: produto que nasceu campeão de vendas desde a sua pré-venda.

Conheça a melhor calça do mundo.

MÁSCARA DE PROTEÇÃO RESERVA®

Desde o início da pandemia da covid-19 até o fechamento desta edição, já tínhamos doado mais de 80 mil máscaras (*and counting*) para comunidades carentes e organizações das linhas de frente nesta guerra. Além disso, nos impusemos o desafio de, com a necessária responsabilidade, desenvolver uma máscara que de fato fizesse diferença. Foram três meses de incansável e minucioso trabalho de nossos times de Design e Tecnologia de Produto em parceria com a indústria e com a comunidade científica para que lançássemos a Máscara de Proteção Reserva®.

Para falar resumidamente do produto: a máscara é anatômica, inibe o mau cheiro, é resistente a líquidos, é biodegradável, tem tecido com tecnologia antiviral que inativa o vírus da covid-19 e custa R$24 (não há lucro na venda do produto). O cliente pode comprar ou doar e a gente entrega para as comunidades carentes cariocas.

Aponte a câmera do seu celular para a imagem e conheça a máscara da Reserva.

Nossa máscara dissecada: nunca tanta gente trabalhou junta pra desenvolver um único produto e em tempo recorde. Já foram mais de 80 mil máscaras doadas e 35 mil vendidas.

FILOSOFIA LOGÍSTICA

A loja que mais vende não é apenas a que mais atrai. O termo do momento é *omnichannel*, ou, em português, a multicanalidade. Operar o omnichannel, como muitos pensam, não é colocar um *tablet* para vender pela internet o que a loja não possui em estoque.

É muito mais profundo que isso. Operar na multicanalidade significa tecnologicamente ter uma visão única do estoque, independentemente de onde ele esteja, para assim minimizar o risco de ter estoque em um lugar e não conseguir entregar um produto para o cliente porque ele está em outro local.

Ser multicanal não tem absolutamente nada a ver com uma experiência sofisticada através de tablets, e sim com a solução tecnológica e logística que a marca varejista escolherá para atender seu consumidor com o que, como e quando ele desejar.

Se maluco não rasga dinheiro, varejista que se preze não ignora seus consumidores.

São inúmeras as iniciativas voltadas à multicanalidade que, ao longo do tempo, fomos implantando. É sobre elas que falaremos neste capítulo.

ABRAÇAR O CONSUMIDOR
EM VEZ DE ATENDÊ-LO

As companhias de varejo adoram cadastrar e analisar seus produtos e respectivos giros, mas poucas são aquelas que gostam de fazer o mesmo com seus consumidores.

Na Reserva, a prioridade de cadastro é do cliente. O sistema NOW nos permite reconhecer seus hábitos de compra e cadastrar informações relevantes sobre datas e assuntos importantes na vida dele. Também analisa o histórico de compra dos clientes e recomenda uma lista de produtos customizada para que nossos times montem malas e as deixem nas casas por meio do "Reservado", nosso serviço de entregas a domicílio.

Com uma customização de experiência de consumo sem igual no mercado brasileiro, entregamos aos nossos consumidores um atendimento muito acima de suas expectativas – o que contribui para que nossos clientes comprem em nossas lojas, em média, quatro vezes por ano, o dobro do mercado.

ESTOQUE CERTO, NO LUGAR CERTO,
NA HORA CERTA

Vamos voltar a Chris Anderson, que em *A cauda longa* afirma:

"No mundo físico, são os consumidores que se movimentam, e não os produtos."

A vantagem das lojas físicas, em termos de gratificação imediata, é pouco significativa quando não se encontra o objeto almejado.

A demanda gerada por nossas ferramentas de encantamento pelos clientes precisa estar perfeitamente calibrada com a nossa oferta de produtos. Por isso, desde a abertura de nossa primeira loja, tínhamos um sonho: o estoque consolidado.

A Reserva foi a primeira varejista de vestuário do Brasil a operar a modalidade de *push & pull* em sua gestão de estoques. Na verdade, se levarmos em conta sua integralidade operacional, ainda é a única até hoje.

O varejo de vestuário opera logisticamente na modalidade de "estoque em loja", que funciona mais ou menos assim: o lojista planeja, por exemplo, comprar dez camisetas brancas para a loja A e dez para a loja B. Na primeira, ele monta uma grade com duas P, quatro M, três G e uma GG. Na outra, três P, três M, três G e uma GG.

Ele faz o pedido ao fornecedor, recebe a mercadoria em seu centro de distribuição e envia as camisetas planejadas para as lojas A e B.

Como a venda é algo imprevisível, pode ser que ele venda as quatro camisetas M da loja A e nenhuma da loja B.

Então ele terá que dizer a todo cliente tamanho M que entrar na loja A que não tem o produto para vender.

Você pode perguntar: "Mas a loja A não pode pedir transferência de mercadoria da loja B"? Sim, desde que o vendedor se lembre de fazê-lo, o que acontece em 2% dos casos, segundo nossos cálculos.

Já no nosso caso – *push & pull* –, o software de gestão de estoques (WMS) distribui grades menores no primeiro envio para as lojas (*push*), mantendo a maior parte do estoque consolidado no centro de distribuição para realizar reposições automáticas diárias com base nas vendas daquelas lojas. Quando o estoque

Com a palavra, Claudio Voivodic. Aponte a câmera do seu celular para a imagem e assista ao vídeo.

termina no centro de distribuição, o sistema recolhe mercadoria das lojas onde elas não estejam vendendo e transfere para lojas onde elas têm saída (*pull*).

A distribuição é calculada automaticamente, todo dia, por algoritmo desenvolvido pelo nosso time de tecnologia.

Quando chegou na Reserva, a prioridade número um do Zé Alberto Silva, sócio e na época diretor de TI e Logística, foi a de desenvolver este sistema. Para isso, ele trouxe duas pessoas que se tornaram fundamentais para a Reserva: Claudio Voivodic e Rodrigo Berutti.

Outra figura central para o sucesso da operação de reposição automática foi o Renato Barbalho, gerente de Logística. Processos logísticos e tecnologia jamais podem andar separados.

Pouco mais de seis meses após a chegada de todos eles, o Zé Alberto e o Luis Roberto (CEO da Reserva na época) me chamaram para uma conversa e disseram que, além de o sistema estar pronto, eles estavam dispostos a iniciar imediatamente a reposição automática.

Tínhamos dezesseis lojas, que, em média, tinham 6 mil itens em estoque.

Quem trabalha com varejo sabe como os times das lojas são apegados aos estoques. A tarefa que eles me passaram não era nada fácil: explicar ao pessoal de todas as lojas que nós recolheríamos muito mais da metade do estoque de suas lojas para que ficasse armazenado no centro de distribuição, com reposição diária com base nas vendas das lojas deles.

Com a palavra, Renato Barbalho. Aponte a câmera do seu celular para a imagem e assista ao vídeo.

—

"MINHAS EXPERIÊNCIAS ANTERIORES NO VAREJO FORAM UMA ESCOLA, MAS ME TORNEI ADULTO AQUI NA RESERVA!"

—

CLAUDIO VOIVODIC

Para piorar, faríamos isso em novembro, às vésperas do Natal, quando fazemos aproximadamente 35% das vendas do ano.

Missão dada é missão cumprida. Nós chamamos todos os gerentes das lojas ao escritório, explicamos nosso sonho e esclarecemos como aquilo nos traria mais vendas pela eficiência que geraria na gestão de nossos estoques.

Dissemos que certamente haveria polêmica quando eles contassem aos vendedores, mas que precisávamos que confiassem em nós e que comprassem nosso barulho.

E viramos a chave. Terminado o Natal, o Zé Alberto rodou uma análise de ganho de eficiência.

Nós sabíamos que estávamos perdendo menos vendas; isso ficou claro no dia a dia daquele dezembro, mas o número do Zé nos encheu de certeza de que estávamos no caminho certo: a reposição automática havia gerado 6,7% a mais em vendas por ganho de eficiência de estoque. A mesma loja, com o mesmo time e mesmos clientes, estava vendendo 6,7% a mais por ter o estoque certo no lugar certo.

Ainda éramos uma companhia pequenina, mas sempre soubemos fazer contas. Imagine o benefício disso para empresas que faturam bilhões de reais.

Se pudéssemos resumir o nosso trabalho, diríamos que estamos no negócio de servir bem ao consumidor. E a boa gestão do estoque é o maior dos serviços aos consumidores. Nesse novo mundo, não importa em qual canal de vendas o varejista venderá, mas a quantidade de informações sobre o seu consumidor que ele terá. Se estiver primeiramente interessado em saber quem é o seu consumidor, do que ele gosta ou aonde ele costuma ir, a venda e o canal onde ela acontecerá deverá ser uma consequência, e não o objetivo da execução do plano para satisfazê-lo.

INTERNET COMO ÚNICO CANAL

Acreditamos que a reposição automática é o primeiro passo logístico para que, um dia, retiremos os estoques por completo das lojas. Nesse dia, 100% das vendas acontecerão na internet, seja dentro das lojas ou na casa do cliente.

Nosso e-commerce nasceu propositalmente tarde, no final de 2012. Uma vez que a visão logística era a do estoque consolidado, não faria nenhum sentido lançarmos o site antes de consolidá-lo.

Fico desesperado quando ouço colegas dizerem "o nosso site é a nossa loja que mais vende" porque, em minha opinião, e-commerce não deveria ser loja, mas um canal logístico que não faz mais do que a obrigação em vender mais, uma vez que para ele sempre estará disponível o maior estoque.

Consolidado o estoque em nosso centro de distribuição com reposição automática para as lojas, a próxima e óbvia decisão foi o e-commerce. Diferente do mercado que compra para o e-commerce como se ele fosse uma loja e administra o estoque em separado, nós lemos o estoque do centro de distribuição em nosso e-commerce. Assim sendo, o e-commerce tem sempre o maior estoque e consequentemente a maior venda.

Hoje nosso e-commerce representa 27% de nossas vendas no varejo e caminha para os 100%.

Nossa visão é a de que um dia nossas lojas físicas se tornarão showrooms de varejo onde tudo acontecerá da mesma forma como hoje, com a diferença de que a mercadoria não sairá de lá em sacolas, mas será despachada direto de nosso centro de distribuição para a casa do cliente. A venda, em termos logísticos, será 100% feita pela internet.

Em fevereiro de 2017 demos o primeiro passo nessa direção com a abertura da primeira loja física USERESERVA. COM. Nela, a totalidade da mercadoria do site está disponível para que nossos clientes experimentem e comprem, mas

USERESERVA.COM:
nossa primeira loja física que funcionava como site, hoje em processo de transformação para se tornar o Estúdio Reserva.

em vez de eles a levarem na hora, entregamos de bicicleta em até três horas em seus domicílios. O novo projeto de loja recebeu ainda o restaurante de comida saudável Verdin e uma barbearia.

Pouco a pouco, na proporção da criação de hábito de consumo em nossos clientes, migraremos todas as lojas para este modelo.

RESERVA DE BIKE

Seguindo a lógica de caminhar para um mundo no qual o varejo físico será um local de experiências de marca, nos propusemos o desafio de reduzir o tempo de entrega de nosso e-commerce para até três horas.

Daí surgiu uma ideia tão simples como inovadora: por que não entregar de bicicleta em vez de usar caminhão?

Ali nasceu a "Reserva Ciclo Courier", parceria para entrega de bike no Rio de Janeiro, como teste para que, em 2020, consigamos estender o serviço a toda a região sudeste.

Hoje, além de entregar em até três horas, percorremos 2.500 quilômetros de bike e deixamos de emitir 350 quilos de CO_2 no meio ambiente todos os meses.

IDEIAS QUE COPIAMOS

Existem livros que mudam nossa vida para sempre. No meu caso, um deles foi *Capitalismo consciente*, de Raj Sisodia e John Mackey.

Raj é um escritor e professor indiano. Começou sua vida profissional como operador de *call center* na Índia, onde conseguiu uma bolsa para fazer mestrado em Marketing nos Estados Unidos.

Em seu projeto final do curso, intrigado pelo fato de que os Estados Unidos gastavam mais em publicidade por ano do que todo o PIB da Índia, Raj resolveu investigar até que ponto esse investimento era eficiente.

Ele descobriu que as empresas com maior fator multiplicador entre investimento em marketing e faturamento bruto tinham algo em comum: todas eram movidas por um propósito social maior do que o negócio.

Organizações como Starbucks, Patagonia, Whole Foods e Southwest Airlines gastavam pouquíssimo em marketing em comparação a seu faturamento, porque o impacto socioambiental de suas atividades era tão grande que o boca a boca virava uma gigantesca força de disseminação dos valores e, consequentemente, dos produtos das marcas.

Raj então escreveu seu primeiro livro, *Empresas humanizadas*, contando a história desses negócios. Alguns meses depois, John Mackey, fundador e presidente da Whole Foods, procurou Raj com a ideia de transformar a lógica por trás daquelas empresas em um movimento universal. Nascia ali o *Capitalismo consciente*, livro e movimento que se propunham usar a Whole Foods como exemplo de como uma organização pode pensar e entregar valor, muito além de seus produtos e serviços, para todos os seus *stakeholders*: clientes, funcionários, fornecedores, comunidades, meio ambiente e Estado.

O capitalista consciente entende seu impacto socioambiental, positivo ou negativo, no lucro financeiro da sua organização, o que me parece bastante lógico.

Se a empresa dá lucro mas, ao mesmo tempo, se utiliza de trabalho escravo ou degrada o meio ambiente, a longo prazo as pessoas viverão menos e ela terá menos consumidores e lucro.

COMPRE ON-LINE E RETIRE NA LOJA

Muitos consumidores deixam de comprar na internet porque nela não é possível experimentar as peças de roupas.

Por isso, em 2015 nós lançamos o "Compre On-line e Retire na Loja". No fechamento do pedido na internet é possível escolher entre receber em casa ou retirar a compra em uma de nossas lojas.

Assim, o consumidor terá a oportunidade de experimentar as roupas e, caso não goste, trocá-las na hora.

O serviço é um sucesso e aumentou nossa taxa de conversão em vendas na internet em quase 30%.

Assista ao vídeo da parceria Reserva + Ciclo Courier. Aponte a câmera do seu celular para a imagem e assista ao vídeo.

FILOSOFIA DE GESTÃO

REBELDES COM CAUSA

No final de 2013, eu vivia uma pequena crise pessoal. A Reserva estava crescendo muito, aceleradamente, e algo que não sabia explicar me angustiava naquele processo. Era como se estivesse realizando nossos sonhos, mas por outro lado não tivesse mais tempo para pensar no nosso futuro.

Foi então que um menino de 21 anos mudou tudo. O Luti Guedes me mandou um e-mail perguntando se eu não gostaria de contar a história de empreendedorismo da Reserva no TEDX que ele estava montando no Rio.

Combinamos de nos encontrar para um café. No final da conversa, perguntei o que ele fazia da vida. Luti me contou que era fundador de um projeto social chamado Lute sem Fronteiras, numa pequena comunidade ribeirinha na ilha de Marajó, no Pará. Ele disse que tudo havia começado quando estava no colégio e foi até a ilha numa visita organizada por padres. Lá, se impressionou com o fato de que, apesar da enorme pobreza que encontrou, todas as pessoas eram mais felizes do que ele. Ali também encontrou seu propósito de vida e passou a retornar duas ou três vezes por ano.

Aos 21 anos, já havia construído um centro comunitário, uma horta e um centro odontológico naquele lugar.

— Agora estou construindo uma escola! Quer me ajudar?

Disse a ele que, se o projeto fosse sustentável, isto é, se tivesse material didático e professores garantidos, a Reserva arcaria com todo o dinheiro que faltava.

Luti me disse que, dali a duas semanas, teria um encontro com o prefeito para incluir a escola no orçamento local do Ministério da Educação e que me ligaria de lá. Tudo deu certo e o Luti botou de pé a escola com o nosso apoio, mas ele construiu muito mais naquele dia.

Saí da conversa com a vontade de ser o Luti e, naquele dia, ele me ajudou a entender o que me angustiava. Minha real vontade era de viver uma vida como a dele – mas eu jamais conseguiria largar a Reserva.

Por isso, resolvi trazer um pouco do trabalho que o Luti fazia para dentro da empresa. E não faria aquilo só por mim, mas por toda a nossa turma. Ali nasceu a ideia para um de nossos mais importantes projetos sociais: o Reserva Rebeldes com Causa.

Escolheríamos empreendedores sociais e os ajudaríamos em algum projeto. O compromisso seria cumprido no prazo de um ano e poderia acontecer de duas formas: investimento em dinheiro e por meio do programa de voluntariado interno, que permitiria que nossa turma se dedicasse ao projeto durante o horário de trabalho.

O Rebeldes com Causa foi lançado em setembro de 2014, com onze empreendedores sociais e onze compromissos assumidos. Juntamos nossa turma para anunciar o projeto e logo percebemos que todos queríamos apoiar algum projeto social, mas, por causa da loucura da vida, não conseguíamos realizar essa vontade. Quando trouxemos a possibilidade para dentro da empresa, aquilo foi recebido com muito amor.

Cartaz estampado pelo Luti Guedes: nossa máquina de comunicação virou vitrine para os Rebeldes.

Assista ao vídeo do projeto Rebeldes com Causa. Aponte a câmera do seu celular para a imagem e assista ao vídeo.

Como setembro é o mês de lançamento de coleções no mercado da moda, sugeri que usássemos o projeto como nosso tema, representando-o em nossas vitrines e material publicitário. Usaríamos toda a força da nossa máquina para divulgar o trabalho dos nossos onze heróis.

Como já disse, a moda tem esse mito de que "fulano copiou beltrano", e então escrevemos no nosso release para a imprensa: "Esta é uma coleção criada para ser copiada. Por favor, nos copiem!"

Fizemos também uma página na internet exclusiva para o projeto, na qual contamos as histórias dos rebeldes em pequenos documentários.

Saiba mais em: reservarebeldescomcausa.com.

1 PEÇA = 5 PRATOS DE COMIDA

O Luti Guedes costuma dizer que passar o bem adiante é também fazer o bem. O Rebeldes com Causa é um projeto de altíssimo impacto social, mas é difícil de ser explicado aos nossos consumidores. Eu havia conhecido Blake Mycoskie, fundador da Toms Shoes, que se tornara uma referência importante para mim. Em seu livro *Comece algo que faça a diferença*, Blake diz que a prestação de contas do impacto social de um negócio tem que ser simples para que seus consumidores rapidamente a entendam e com ela se identifiquem. Quando isso acontece, consumidores se transformam também em agentes de transformação. Eu já vinha pensando sobre algum projeto social que fosse muito facilmente explicável, tal qual o da Toms, que doa um par de calçados para crianças pobres a cada par vendido. Eu queria fazer algo relacionado à educação.

Nesse meio-tempo, Wagner Gomes, um de nossos Rebeldes com Causa, me convidou a ir até a ADEL, uma bem-sucedida escola de empreendedorismo agrícola que fica em Pentecostes do Norte, no Ceará, para a entrega oficial de nosso compromisso com eles: a Ubuntu, uma escola de empreendedorismo social no meio do sertão. Eu daria a aula inaugural do primeiro curso para cinquenta alunos.

A ADEL ensina pequenos agricultores familiares a gerir melhor seus negócios numa região, a cerca de 100 quilômetros de Fortaleza, onde a seca e a pobreza são enormes.

Chegando lá, encontrei uma linda casa cheia de alunos sedentos por conhecimento. A sede da ADEL fica debaixo de um enorme cajueiro verde e vivo que, assim como aquelas pessoas, é um corajoso sobrevivente.

Eu já tive a oportunidade de contar a nossa história no mundo inteiro, para presidentes de países e empresas, mas nunca em minha vida me emocionei tanto como naquele dia, quando falei da história da Reserva para cinquenta alunos e mais outros cinquenta familiares debaixo daquele cajueiro.

Terminada a palestra, um dos alunos me pediu carona na volta para Fortaleza. O Neto havia começado sua vida profissional vendendo galinhas e já tinha três abatedouros e um frigorífico. Aos 25 anos, ele já é um bem-sucedido empreendedor do sertão.

Contei-lhe a minha ideia de doar algo a cada peça de roupa vendida na Reserva e a minha vontade de fazer algo relacionado à educação. Foi então que começou um diálogo que mudou tudo e para sempre na Reserva:

— Rony, lá naquela bolha que vocês vivem vocês acham que o problema do país é a educação, né?

— Neto, em primeiro lugar é importante te dizer que eu também acho que vivo numa bolha e é justamente por isso que estou perguntando para você o que deveríamos fazer. Em segundo lugar, não acho que o problema do país seja a educação. Acho, isso sim, que a educação é dos maiores problemas sociais deste país.

— Então me permita fazer uma pergunta. Quando você está com fome na hora do almoço, você consegue trabalhar?

— Não, impossível.

— Meu caro, então... Você pode montar a melhor escola do mundo, mas, se o moleque estiver com fome, ele não vai prestar

De sonho a realidade: debaixo do cajueiro em Pentecostes do Norte com os 50 alunos da ADEL e, embaixo, conhecendo uma das instituições atendidas pelo Banco de Alimentos.

atenção em absolutamente nada. O problema do país é a fome. Vocês deveriam estudar para resolver este problema.

A conversa com o Neto foi para mim um divisor de águas. Eu havia acabado de aprovar uma alteração de embalagem que aumentaria em alguns milhares de reais nosso orçamento anual, e a minha vontade naquela estrada onde não pegava o celular era ligar para o Nandão para que ele cancelasse o pedido.

Voltei para casa e mergulhamos fundo para entender o problema da fome no país. Em resumo, descobrimos que um em cada quatro brasileiros não sabe se vai ter o que comer hoje, o que totaliza 52 milhões de pessoas; desse total, sete milhões não vão conseguir se alimentar.

A segunda descoberta: não falta comida no Brasil. Nós produzimos, no campo e na indústria, o suficiente para alimentar 30% a mais do que a necessidade de toda a população brasileira.

O problema mora no desperdício, e o maior dos motivos é que supermercados, restaurantes e estabelecimentos comerciais são legalmente impedidos de doar suas sobras ainda com prazo de validade. A lei, de quase cem anos, diz que caso a comida seja doada e alguém passe mal, o estabelecimento será cobrado por isso na justiça.

Decidimos então que, a cada peça de roupa vendida, nós, de alguma forma, viabilizaríamos a entrega de refeições a quem tem fome no país. Para isso precisávamos de um parceiro de confiança que pudesse operar o nosso sonho.

Liguei para alguns empreendedores sociais para pedir recomendações de ONGS ou instituições que pudessem nos ajudar. A opinião foi unânime: "Procure o Banco de Alimentos."

Deixo que a própria instituição se apresente: "Fundado em 1998 a partir da iniciativa pioneira da economista Luciana Quintão, o Banco de Alimentos é uma associação civil que atua com o objetivo de minimizar os efeitos da fome e combater o desperdício de comida, permitindo que um maior número de pessoas tenha acesso a produtos básicos, de qualidade e em quantidade suficiente para uma alimentação saudável e equilibrada.

Os alimentos distribuídos são excedentes de comercialização e produção, perfeitos para o consumo. A distribuição possibilita complementar a alimentação das pessoas assistidas pelas mais de quarenta instituições cadastradas no projeto, ou seja, mais de 22 mil pessoas por mês."

Após conhecer o projeto, liguei para a Luciana Quintão, contei minha ideia e perguntei a ela quantos pratos de comida conseguiríamos entregar por peça de roupa vendida. Ela consultou a auditoria, os contadores, e voltou dizendo que acreditava que viabilizaríamos a entrega de sete refeições, mas que sugeria que trabalhássemos com cinco, por segurança. Assim, na prestação de contas, entregaríamos além da expectativa.

Em 20 de maio de 2016, nós lançamos o Reserva 1P5P com direito a evento em nossa sede, transmitido ao vivo para todas as lojas e um site (usereserva.com/1p5p) para prestação de contas, por meio de um contador de pratos conectado, em tempo real, com as lojas.

No momento em que escrevia este livro, pouco menos de um ano após o lançamento, nós havíamos viabilizado a entrega de mais de oito milhões de pratos de comida para quem tem fome no país. Hoje, já são 40 milhões de pratos! O investimento para essas entregas sai diretamente de nosso lucro e sem nenhum incentivo fiscal.

Para tornar essa experiência mais próxima de nossos consumidores, usamos a tecnologia Google Odyssey para gravar um filme em realidade virtual. Montamos *corners* com poltronas e óculos de realidade virtual em cada uma das lojas para que nossos clientes tivessem a experiência de doar sem sair da Reserva.

Com a palavra, Luciana Quintão. Aponte a câmera do seu celular para a imagem e assista ao vídeo.

De cima pra baixo: nosso site com contador de pratos doados em tempo real, tag que sinaliza todos os nossos produtos e totem que exibe o filme de realidade virtual do projeto 1P5P.

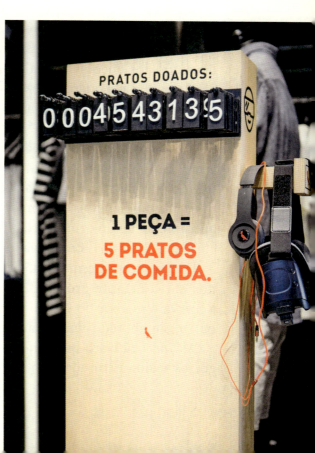

Entenda de ponta a ponta o 1P5P. Aponte a câmera do seu celular para a imagem e assista ao vídeo.

Além disso, realizamos uma corrida contra a fome no Rio de Janeiro. Fechamos as praias de Ipanema e Leblon e colocamos mil pessoas para correr. A cada kit de corrida vendido, cinco pratos de comida foram doados. Foram cinco mil refeições em apenas uma manhã. A Corrida 1P5P não apenas se repetirá todos os anos como em breve passará a ser realizada em todo o país.

O Reserva 1P5P é um exemplo simples, objetivo e altamente impactante de que vivemos para entregar a nossa missão a todos os nossos *stakeholders*. Ele nos mudou para sempre.

Coincidências à parte, foram meses de enorme crescimento em faturamento. O bem sempre vence.

GOVERNANÇA IDEALISTA

Nós não gostamos de reuniões de conselho. Na realidade, não gostamos de nenhuma reunião. Acreditamos que a gestão da empresa deve reportar seus resultados por e-mail aos seus sócios financeiros, e, em caso de dúvidas ou novas ideias, devemos nos encontrar e falar o mais informalmente possível sobre isso e quantas vezes forem necessárias, mas sem obrigação, porque assim é mais gostoso e, provavelmente por isso, será também mais eficiente.

Não acreditamos em planejamentos quinquenais (há cinco anos, o Instagram ou o Snapchat não existiam, por exemplo, e eles mudaram as regras do jogo para todos os negócios do planeta). Aqui na Reserva nós nos planejamos anualmente tendo como horizonte única e exclusivamente a visão da empresa e como guia o seu propósito. E ponto final.

Enquanto empresários, nós nos vemos como seres humanos em constante processo de aprendizado. Ninguém na Reserva é melhor do que ninguém ou sabe mais do que o outro. Somos, todos juntos, a Reserva.

Assim, fica claro que temos um jeitão de pensar os negócios meio misturado com a nossa filosofia de ver e viver

Corrida 1P5P: à esquerda, Nandão e Neto, que me inspirou para criarmos o 1P5P. Abaixo, a invasão de gente do bem às orlas de Ipanema e Leblon.

Assista aos melhores momentos da Corrida 1P5P. Aponte a câmera do seu celular para a imagem e assista ao vídeo.

a vida. Não somos donos da verdade e nem por um minuto acreditamos que este seja o único caminho – apenas é nosso jeito de fazer negócios.

Ao longo de dez anos, fomos procurados por praticamente todos os fundos de investimento *private equity* do país. Vimos todos os grupos de moda se formarem e optamos por ficar de fora de todos eles porque sentíamos que o objetivo desses negócios era sempre o controle das empresas, de suas pessoas e o retorno financeiro a curto prazo. Nós não acreditamos nisso.

A Reserva é a nossa vida, e, assim sendo, sobre a nossa vida ninguém jamais poderá ter o controle, e em nossa vida não tomamos decisões de curto prazo para ganhar mais dinheiro caso essas decisões não sejam as melhores a longo prazo.

Nas conversas com os fundos de investimento, o discurso deles era sempre o da prosperidade e do respeito à cultura de gestão do negócio, mas, quando observávamos suas práticas de mercado, o mundo real era sempre o da arrogância e do pensamento de que banqueiro é melhor varejista do que o próprio varejista.

Tristes, observamos gênios de nosso mercado serem substituídos por meninos de 20 e poucos anos que, até aquele momento, haviam apenas produzido planilhas e projeções financeiras. Marcas icônicas brasileiras foram jogadas na mesmice e consequentemente caíram no ostracismo.

Depois da terceira ou quarta conversa com fundos de investimento, decidi que não mais falaria com o mercado financeiro. Não queria mais perder tempo com aquele processo.

O Jayminho acreditava que era importante conversar sempre; afinal de contas, o respeito e a educação são bases de sustentação de nosso propósito. Ele estava coberto de razão. Então fizemos o acordo de que, quando nos procurassem, ele iria sozinho e deixaria claro de início que não tínhamos o menor interesse em ter um novo sócio.

FINANCISTAS COM A MÃO NA MASSA

Em meados de 2012, começamos a sentir que uma grande crise financeira se aproximava no país. Com a maré mais baixa, para nós aquela poderia ser uma boa oportunidade de expansão a um menor custo.

Em um almoço com todos os sócios, sugeri que fizéssemos um aporte na empresa para que, com mais caixa, pudéssemos aproveitar ao máximo aquela janela de oportunidade. Todos ficaram de pensar a respeito.

O Fabinho Steinberg era um queridíssimo amigo de infância. Ele trabalhava no fundo XP Investimentos e me ligou para falar que o pessoal da Dynamo, fundo de investimentos carioca, queria nos conhecer. Expliquei que não conversava com fundos e que havia feito um acordo com o Jayme de que ele sempre os receberia. O Fábio me pediu que, por ele, abrisse uma exceção.

O Jayminho me falou que os caras tinham a boa fama de serem idealistas na forma de pensar e de fazer negócios e que ele também achava que eu deveria ir. No pior cenário, aprenderíamos um monte de coisas com a conversa. E eu fui.

Os caras, entre eles, o Pedro Damasceno, eram realmente muito bacanas, despretensiosos e simples, e o papo rolou bem. A nossa visão de mundo era muito parecida, e eles manifestaram a vontade de entrar na Reserva numa participação minoritária, sem prazo para sair e mantendo nossa total independência na gestão do negócio.

Saímos de lá e fomos beber um suco, eu, Jayminho e o Fabinho. Aquela foi a última vez que vi o Fábio. Ele nos contou que estava doente e que se internaria naquele fim de semana para tratamento.

Temos certeza absoluta de que, por algum motivo, o Fábio sabia que aquela deveria ser a nossa escolha. Um dia nos encontraremos e festejaremos juntos.

Dois anos depois, assinamos os contratos e fechamos a parceria que nos permitiu entrar em um momento ruim do país com uma baita vantagem competitiva, tanto em termos de caixa como em termos de estrutura societária, pois, além de sócios, ganhamos amigos alinhados na missão de fazer varejo de maneira diferente em nosso país.

RECONHECIMENTOS

Ao longo do tempo recebemos muitos reconhecimentos, mas dois em especial nos marcaram muito.

Em 2014, tivemos a honra de receber o prêmio Gentleman of The Year, da embaixadora da ONU Evie Evangelou, durante a Assembleia Geral da ONU. Em um almoço com todas as primeiras-damas do mundo, são reconhecidos os trabalhos com maior impacto positivo em moda masculina (Gentleman of the Year) e feminina (Lady of the Year). Naquele ano, eu e a estilista americana Donna Karan fomos agraciados.

Em 2015, a revista americana *Fast Company*, a mais importante do mundo com foco em inovação, nos listou entre as empresas mais inovadoras do mundo.

Em 2016 recebemos três premiações importantes: Homem do Ano da revista GQ, Cariocas do Ano da revista *Veja* e Profissional Criativo do Ano da Associação Brasileira de Propaganda.

No fim do ano, meu filho mais velho, Nick, observando um monte de troféus na prateleira, resolveu me dar o troféu que ele havia ganhado na escolinha de futebol e o chamou de Pai do Ano. Foi indubitavelmente o melhor troféu que já ganhei e ganharei na vida.

Com a palavra,
Pedro Damasceno.
Aponte a câmera do seu
celular para a imagem e
assista ao vídeo.

Vestuário

MARCA CARIOCA É UMA DAS MAIS INOVADORAS

Grife de roupas Reserva é eleita pela 'Fast Company' como uma das mais criativas da América Latina

Dona de uma marca de roupas considerada jovem e rebelde, o carioca Grupo Reserva foi eleito pela revista americana *Fast Company* como uma das dez empresas mais inovadoras da América Latina. A forma de a companhia se comunicar com seus clientes – transformando exposições aparentemente negativas em vantagens – e suas campanhas com fundo social estão entre as razões para a escolha da publicação.

Há cerca de quatro anos, a Reserva esteve sob os holofotes porque um ex-traficante do Complexo do Alemão, no momento de sua prisão, estava usando uma camiseta da marca. A região havia sido tomada pelo exército e tudo relacionado à favela ganhava destaque naquele momento.

Depois que Diego Santos saiu da prisão, nove meses depois, e conseguiu trabalho como cinegrafista na organização não governamental Afro Reggae, a Reserva resolveu usá-lo como modelo. Foi uma oportunidade para a empresa relembrar o caso (aproveitando a nova fase positiva do ex-criminoso) e, ao mesmo tempo, lançar o selo AR, a marca de licenciamento do Afro Reggae criada em parceria com a Reserva com a função de gerar fundos para projetos de reinserção social.

Outro episódio negativo do qual a empresa se aproveitou foi o assalto a uma de suas lojas. Há pouco mais de dois anos, ladrões invadiram uma de suas unidades em São Paulo. A câmera da loja gravou toda a ação, e a empresa aproveitou as imagens para elaborar um vídeo para uma liquidação. O filme publicitário exibiu as peças sendo levadas pelos ladrões (como bermudas, polos, calça jeans) e disse: "Corra, porque tem gente fazendo loucuras pela Reserva".

Agora, a empresa está embarcando num projeto que chamou de "Rebeldes Com Causa", cujo objetivo é investir em causas sociais (como a construção de uma escola em uma comunidade ribeirinha no Pará). Em paralelo, a Reserva lança uma coleção que "conta" essas histórias.

"Em vez de lançar uma proposta para vestir, nós lançamos uma proposta para agir", diz Rony Meisler, de 33 anos, cofundador e presidente da Reserva.

Fazem parte da companhia também a linha de vestuário infantil Reserva Mini, a linha feminina EVA, a Huck (em parceria com Luciano Huck, sócio da empresa) e uma hamburgueria (sociedade com Thomas Troisgros).

Em cima, ao lado de Donna Karan e Evie Evangelou - embaixadora da ONU –, recebendo o prêmio Gentleman of the Year, em 2014. Embaixo, matéria sobre termos sido eleitos uma das empresas mais inovadoras do mundo, segundo a revista *Fast Company*.

EMPRESA B

Cuidar, emocionar e surpreender as pessoas, o resto é consequência – sempre entendemos que a entrega do nosso propósito seria o nosso medidor de sucesso. E, sendo fiel a ele, hoje somos a maior marca de moda da América Latina a integrar o Sistema B, uma comunidade global de empresas que equilibram lucro e propósito. Afinal, não fazemos qualquer negócio ;) O processo de certificação é extremamente rigoroso, (o que aumenta o orgulho) e a conquista do selo significa que atendemos aos mais altos padrões de desempenho social e ambiental, transparência e responsabilidade fiscal. É importante dizer que muito além de um selo, a certificação de Empresa B não vem de compromissos assumidos, mas sim de metas já cumpridas.

Olha só o que a gente já fez até aqui:

- Sustentabilidade: Usamos energia renovável, investimos em programas de reciclagem e processos de produção sustentáveis.
- Feito no Brasil: Valorizamos a indústria nacional e produzimos 95% de nossas peças aqui.
- Transparência: Nosso consumidor recebe um cupom que demonstra custos, faturamento e lucro referente à compra.
- 1P5P: A cada peça vendida complementamos 5 pratos de comida pra quem tem fome no Brasil. Já foram mais de 37 milhões de pratos.
- Cara ou Coroa: Aqui os coroas têm vez: nosso quadro de colaboradores têm brotos de 50 anos ou mais.
- Garantia 100%: Se uma peça apresentar defeito trocamos na hora ou devolvemos o dinheiro: o cliente escolhe.

Uma coisa eu garanto: a gente não vai parar por aí...

FILOSOFIA DE FONTES HUMANAS

Quando eu era executivo, não conseguia compreender a lógica das companhias no que dizia respeito a gestão de pessoas.

Em primeiro lugar, quem inventou o termo "Recursos Humanos"? Pessoas não são recursos – ou não deveriam ser. Pessoas são fontes inesgotáveis de conhecimento, energia, sentimentos. Por isso, quando estruturamos um departamento para cuidar de nossa gente, demos a ele o nome de Fontes Humanas.

Em segundo lugar, jamais acreditei na cultura de meritocracia com base única e exclusivamente no dinheiro. Normalmente, as pessoas que vivem o sonho do dinheiro são aquelas que acabam pobres, de dinheiro ou de espírito.

Nosso Departamento de Fontes Humanas se baseia no tripé: Fé em nossas pessoas, Felicidade no trabalho e Construção de uma empresa feita de donos.

Dentro dessa lógica de pensamento, são inúmeros os produtos de FH que, ao longo do tempo, fomos criando. Em 2016, fomos eleitos pelo Great Place To Work uma das melhores empresas para se trabalhar no Brasil.

PROGRAMA DE NOTÁVEIS

O modelo de meritocracia baseado apenas em retorno financeiro, em minha opinião, é um tiro curto no pé. Ele faz do dinheiro a cultura da companhia, e da venda a qualquer custo o objetivo de todos.

Na Reserva, nossos maiores ativos são nossa cultura e nossas pessoas. Acreditamos que o único modelo capaz de mantê-los a longo prazo seria aquele que recorrentemente buscasse, dentro da empresa, pessoas 100% alinhadas com nossa forma de ver o mundo e os negócios, para que se tornem sócios.

Nosso patrimônio até hoje está todo nas lojas. Ao longo do tempo, os sócios originais optaram por não enriquecer em dinheiro, mas por meio de sua participação no negócio.

A parte de cada um se valorizou justamente porque, em vez de botar dinheiro no bolso, reinvestimos tudo o que lucramos na própria Reserva. Pensando assim, ganhamos muito mais, inclusive financeiramente, do que se tivéssemos embolsado o dinheiro. A meu ver, esse é o único modelo capaz de criar valor perpétuo para a Reserva.

Quando decidimos montar um programa de meritocracia para a empresa, nós o estruturamos para criar uma empresa de donos.

No início de 2013, apenas sete anos após o início da marca, lançamos nosso programa de Notáveis: profissionais que se destacam nas diversas áreas da empresa, tanto estratégica/operacionalmente como na entrega da cultura de marca – um não pode existir sem o outro.

Os Notáveis são definidos pelos sócios do Grupo, com muita influência do FH, e recebem avaliação semestral. Essa avaliação, cruzada com o resultado anual da companhia, determina uma nota final por ano. A média das notas finais acumuladas em três anos determinará a quantidade de capital da Reserva que eles receberão.

Nosso primeiro grupo de Notáveis se tornou sócio em 2016. Foram nove sócios e amigos que ganhamos para a vida. Gente que constrói conosco, todos os dias, esse sonho chamado Reserva.

Organizamos um evento na sede para assinarmos a papelada e aproveitamos para anunciar o próximo grupo de Notáveis. Foi um dia muito feliz.

BATE QUE EU GAMO

Na Reserva, cansamos de mandar embora pessoas que eram tecnicamente excelentes, mas que não se identificavam com a cultura da marca, de fraternidade e transparência.

Se temos um problema ou se algo nos desagrada, a empresa dispõe de inúmeras "portas" abertas para resolvê-los. Aqui não suportamos fofoca ou maldizer de corredor; trabalhamos reativa e proativamente para acabar com isso.

Acredito que temos que ser os exemplos daquilo que pregamos e, por isso, instituímos o programa "Bate que Eu Gamo".

Todos os meses, a turma inteira se reúne em nossa área de lazer da sede. No centro, sentam-se os diretores. O objetivo? A gente vai lá para "apanhar"! Isso mesmo, nós sentamos lá para sermos criticados diretamente e sem rodeios.

Essa reunião costuma ser calorosa, tem que durar no máximo uma hora e, para quem não quiser falar diretamente conosco, o FH recebe as críticas com antecedência e as lê para todo o grupo, preservando o anonimato da fonte.

Ao final da reunião, estabelecemos uma ata com soluções, prazos e responsáveis para os problemas levantados. Uma vez, por exemplo, "apanhamos" porque, com o aumento da criminalidade no Rio de Janeiro, a turma achava que deveríamos reforçar a segurança no horário de saída das pessoas. Decidimos montar um comitê multidisciplinar de segurança para que pesquisassem, sugerissem e cotassem possíveis soluções. O comitê decidiu pela contratação de uma van que ficaria à disposição de nossas pessoas a partir das 18 horas e, de 30 em 30 minutos, até às 22 horas, as levaria até o ponto de ônibus, com paradas, para quem tivesse ido de carro, pelo caminho.

O "Bate que Eu Gamo" é muito mais do que um programa de soluções colaborativas para nossos problemas. Ele é o exemplo, vindo de cima, de que todos nós estamos sujeitos a erros e acertos e que, quando erramos, em vez de sair reclamando pelos cantos, devemos trabalhar juntos para resolver.

LICENÇA-PATERNIDADE

Na ocasião do nascimento de meu segundo filho, decidi passar um mês em casa com ele e com a minha esposa.

Pude ficar perto dele, ininterruptamente, em seus primeiros dias de vida e, ao mesmo tempo, dar suporte e amor à minha esposa.

Ficou claro para mim que seria injusto que apenas os donos da empresa pudessem ter o privilégio de usufruir esses momentos repletos de amor.

Nick, Tom e Chiara: neste livro ficará eternamente registrado que vocês são os "culpados" por nossa decisão de dar a todos os papais da Reserva, homo ou heterossexuais, licença-paternidade de trinta dias para que fiquem em casa com a família.

Esta foi a carta que mandei para a Reserva anunciando a novidade:

Evento na sede da Reserva para anunciar os novos sócios da empresa, os Notáveis.

Família,

Como todos sabem, sou pai de dois filhos. Como também sabem, não há na minha vida algo maior e mais importante. Para eles, tudo!

Sempre falamos na Reserva sobre as questões referentes à maternidade, e, como consequência, nossas mamães são superamparadas e cuidadas pela nossa Reserva.

Já há alguns meses vínhamos discutindo com o FH também sobre a questão da paternidade. Não só por conta dos nossos papais, mas também por conta das(os) esposas(os)/namoradas(os) dos nossos papais.

Sou prova viva de que a presença paterna nos primeiros dias de vida do bebê é fundamental para criar vínculos e dar suporte às mamães que, após o parto, terão looongas e deliciosas noites sem sono :)

Enfim, este e-mail é para avisá-los sobre o fato de que, a partir de agora, nossos papais, caso queiram, poderão ficar 1 mês em casa 100% focados no amor. Válido para novos papais de casamentos hétero ou homossexuais.

Fico felicíssimo em começarmos 2016 com uma novidade tão importante e inspiradora como esta.

Um beijo enorme em todos.

Rony

P.S. 1: Como se trata de algo inédito e que nunca ninguém fez, resolvemos ainda não formalizar como benefício e sim como um presente da Reserva. Testaremos a lógica por 6 – 12 meses, e, funcionando, formalizaremos como benefício.

P.S. 2: Em cima deste e-mail o FH enviará um e-mail com informações complementares bem como estará disponível para dúvidas decorrentes da novidade :) !

CONVENÇÕES DE SEDE

Todos os anos, realizamos uma convenção para a turma da sede, no final do primeiro trimestre.

Nela falamos sobre os resultados do ano que passou e sobre a estratégia para o ano que se inicia. Isso todo mundo faz, né? Pois o real objetivo da convenção são os prêmios que nela entregamos. Prêmios que fogem totalmente à regra de mercado, sempre focado em resultados e *key performance indicators* (KPIs). São eles:

- Melhor de Cada Departamento: escolhido e votado pelo próprio departamento.
- Melhor Parceiro: aquele que ajuda todo mundo.
- Vim para Ficar: quem acaba de entrar e já mostrou resultado.
- Liderança Inspiradora.
- Menino de Ouro: aquele que melhor representa a cultura Reserva.

Nessas ocasiões, trazemos a família dos premiados para confraternizar conosco, pois achamos que não existe maior motivo de orgulho do que ver uma pessoa querida subir num palco para ser premiado.

Nunca fazemos festa de fim de ano. Em dezembro, nossa turma do varejo está trabalhando enlouquecidamente, e amigo que é amigo chega junto em vez de ir para a festa enquanto o outro está trabalhando. Por isso, nossa festa é no início do ano, ao final de nossa convenção de sede.

EU PAGO O ALMOÇO

As pessoas acreditam que a melhor pesquisa se faz quando viajamos e visitamos lojas de marcas parecidas com as nossas. Para mim, é quando conversamos com a nossa própria turma. Quem paga o salário de todos nós não sou eu nem a Reserva, são nossos clientes. Portanto, nossos protagonistas são aqueles que estão mais perto deles: nossos vendedores, caixas, estoquistas e gerentes.

Tenho certeza absoluta de que não há ninguém mais apto a entender e a falar sobre o que nossos consumidores buscam do que os nossos times de vendas. Por isso, almoço com um de nossos vendedores uma vez por mês. Em um simples almoço aprendo mais do que aprenderia em anos olhando para planilhas no computador.

Foi dessas conversas que surgiram meus maiores insights tanto para a marca como para sua operação e produto. Nelas, também tenho a oportunidade de conhecer muitos dos nossos talentos do futuro.

CARA E COROA

Em nossas viagens de férias aos Estados Unidos e Europa, sempre que entrávamos numa loja de departamentos, eu comentava com Anny que achava incrível o fato de empregarem pessoas da terceira ou da quarta idade para vender roupas. Na décima vez que isso aconteceu, a Anny me disse:

— Por que então em vez de falar você não faz igual?!

Ali nasceu o nosso "Cara e Coroa", programa dedicado à contratação de funcionários da terceira e da quarta idade para nossa sede e lojas. Hoje, 30% das lojas têm funcionários acima dos 60 anos, e nosso objetivo é chegar a 100% em cinco anos.

Em todos os casos, trata-se de pessoas muito queridas pelos times e clientes e com nível de eficiência em vendas e operações maior do que a média de pessoas abaixo dos 60 anos.

PRONTO, FALEI!

Nós entendemos que um dos motivos para o FH existir é o de derrubar as barreiras de comunicação entre as pessoas. Nesse sentido, não se pode ignorar a limitação de comunicação que muitas pessoas possuem. Não são todas as pessoas que conseguem, mesmo se bem estimuladas, falar sobre seus problemas com colegas de trabalho.

Por isso desenvolvemos um software de comunicação interno, totalmente anônimo, ao qual demos o nome de "Pronto, Falei!"

Nossa turma entra no sistema, escolhe um colega para o qual gostaria de falar algo, e solta o verbo no feedback. O colega, por sua vez, também acessa o sistema para poder responder e se comprometer com um plano de mudança.

DEPARTAMENTO DE FELICIDADE

Sempre pensei que a vontade de trabalhar para uma empresa está diretamente associada ao fato de consumirmos seus produtos e serviços.

Se eu não fosse empreendedor, adoraria trabalhar no Google ou no Facebook, e tenho certeza absoluta de que, não por acaso, quando penso em fazer uma busca na internet ou me manifestar nas mídias sociais, são os serviços deles que escolho.

Também acredito que quanto mais investirmos em nossas pessoas e na construção de um ambiente incrível de trabalho, mais elas serão produtivas e contarão para seus familiares e amigos sobre a nossa empresa.

A consequência? Mais gente boa e bacana sonhará em trabalhar aqui e mais pessoas pensarão primeiro em nós quando precisarem comprar suas roupas.

Meus almoços mensais com o time de vendas: aprendizado.

Convenção da sede "Meninos de Ouro": premiação regada a sorrisos e lágrimas.

Por tudo isso, resolvemos montar uma sede que nos ajudasse neste sentido. Enquanto boa parte do mercado da moda praticava o velho pensamento de "gastar todo o dinheiro para abrir lojas e nenhum para investir na sede", nós resolvemos fazer diferente e montamos um quartel-general incrível para prover bem-estar a quem trabalha nele todos os dias.

Nossa meta era que nossa turma gostasse das segundas-feiras, porque vir trabalhar seria prazeroso! Nós acreditamos na felicidade no trabalho: não apenas pela filosofia, como também pela questão prática. Pessoas felizes são mais produtivas.

Criamos, então, um departamento – a que demos o nome de Felicidade – dentro do de Fontes Humanas. Cabe ao time de Felicidade a missão de comunicar recorrentemente e diariamente nosso propósito, missão e valores a nossos colaboradores, por meio de produtos que estimulem a integração de nossos times dentro e fora da sede.

O Departamento de Felicidade também é responsável por estimular o engajamento de nossa turma com a Reserva para criar um círculo virtuoso de construção de marca, feito por todas as nossas pessoas, espontaneamente, em suas mídias sociais.

Além do calendário de eventos de integração da sede, são três os principais programas do Departamento de Felicidade: "Segunda Vem que Tem", "Bota na Vitrine" e "Modelo de Prova".

SEGUNDA VEM QUE TEM

Certa vez li numa revista que a segunda-feira é o dia da semana com maior incidência de infarto de miocárdio.

A reportagem concluía que isso acontecia porque, na média, as pessoas odeiam seus trabalhos e a segunda-feira se tornou um dia de muito estresse, devido ao retorno após o fim de semana.

Achei aquilo muito triste e chamei a turma de Felicidade para que pudéssemos criar algo que nos desse a certeza de que isso nunca aconteceria conosco. Sugeri que, se fosse para infartar, que infartássemos por um bom motivo. Nasceu ali a "Segunda Vem que Tem".

Começamos a servir todas as segundas-feiras alimentos ricos em açúcares e carboidratos para a nossa turma: algodão-doce, churros, maçã do amor, cachorro-quente.

BOTA NA VITRINE

Adoro surfe, mas não surfo porque tenho medo do mar. Acompanho de perto o esporte e nele tenho um ídolo: Adriano de Souza, o Mineirinho, campeão mundial de surfe em 2015.

Ele não nasceu com a vocação de deuses do esporte como Kelly Slater e Gabriel Medina. Mineirinho se tornou o melhor por opção, e não por vocação. Opção e muito esforço.

Mineirinho era a grande promessa do surfe nacional e, por muitos anos, brigou nas cabeças pelo título mundial, mas foi obrigado a ver outro brasileiro, mais jovem do que ele, ser campeão primeiro: Gabriel Medina.

Em 2014, quando Medina foi campeão mundial, Mineirinho já era um atleta bem-sucedido em todos os aspectos. Ele poderia ter aceitado o golpe e colocado o pé no freio, mas fez o oposto: lutou feito louco pelo campeonato de 2015 e ganhou.

Ainda na água, a repórter do WCT lhe perguntou qual era a primeira coisa que lhe vinha à cabeça como campeão do mundo. Ele respondeu, emocionado:

"Segunda Vem que Tem":
segunda-feira é um dia
feliz na Reserva.

— Éramos muito pobres e meu irmão batalhou muito para juntar R$ 30 para comprar minha primeira prancha. Este campeonato é para ele.

Definitivamente, realizar o sonho de uma pessoa e mudar a vida dela não é uma questão de dinheiro, mas de vontade e de sensibilidade.

Eu não queria que a Reserva tivesse um problema comum a grandes empresas, onde normalmente departamentos se tratam como grupos diferentes e, quando prestam serviço uns aos outros, é como se estivessem fazendo favor.

Resolvemos misturar uma coisa com a outra: e se tivéssemos um produto de estímulo à colaboração entre departamentos? Se uma pessoa de um departamento X fizesse algo superlegal para um departamento Y, o líder do departamento Y poderia ter o poder para realizar um sonho daquela pessoa. Nascia o "Bota na Vitrine", um de nossos produtos de gestão de mais sucesso.

Quando chegam à Reserva, todos os nossos funcionários são convidados a listar três sonhos que nós poderíamos realizar – mas não adianta falar que quer comprar um apartamento!

Os gestores dos departamentos enviam para Fontes Humanas suas sugestões de pessoas e histórias inspiradoras de cooperação para que sejam colocadas na vitrine.

Semestralmente, escolhemos uma história como a vencedora e realizamos o sonho daquele funcionário. Já fizemos de tudo com eles. De voos de paraquedas a passeios em uma Ferrari, tudo filmado profissionalmente e divulgado em nossas mídias.

Não há campanha de marketing ou investimento que até hoje tenha gerado mais engajamento e reconhecimento de marca do que esses vídeos.

Não há dinheiro ou troféu que substitua a emoção de uma pessoa e de sua família ao ter um sonho realizado. Temos um baita orgulho de que nosso maior investimento

Assista ao "Bota na Vitrine" do Fred Santos. Aponte a câmera do seu celular para a imagem e assista ao vídeo.

Assista ao "Bota na Vitrine" do Felipe Vogas. Aponte a câmera do seu celular para a imagem e assista ao vídeo.

Assista ao "Bota na Vitrine" do Emanoel Pereira. Aponte a câmera do seu celular para a imagem e assista ao vídeo.

Lua de mel, saltar de paraquedas ou dirigir uma Ferrari: o "Bota na Vitrine" realiza os sonhos da nossa turma.

em marketing more no reconhecimento e na celebração de nossas pessoas.

Assim como no caso de Mineirinho, realizar o sonho de alguém não necessariamente custa caro e faz da nossa turma muito mais do que um time – uma verdadeira família.

MODELO DE PROVA

Amigo que é amigo malha junto. Por isso, na Reserva, oferecemos avaliação nutricional e treinamento com exercícios funcionais toda semana para a nossa turma.

O programa "Modelo de Prova" avalia a saúde do nosso time e, em caso de possíveis problemas, propõe metas de redução de percentual de gordura e readequação alimentar.

MODELO DE GESTÃO

No início de 2016, o Grupo havia crescido muito. Ultrapassamos a marca de mil funcionários e já não mais reconhecíamos a todos e nem os chamávamos pelo nome nos corredores da empresa.

Aquilo nos preocupou bastante. Não pela quantidade de gente, mas principalmente pelo fato de que nossos processos não nos garantiam que naquele volume estaríamos escutando, reconhecendo e dando oportunidades para que todos crescessem na nossa Reserva.

Por outro lado, a implantação de um modelo de gestão comum poderia matar a companhia. Na Reserva, o dinheiro está longe de ser a motivação principal, que é a nossa cultura, o nosso jeitão de ser e fazer negócios.

Por isso, precisávamos de uma consultoria que pudesse nos ajudar no desafio de desenhar do zero um modelo de gestão Reserva. Como já contado no livro, comecei minha carreira como consultor, e justamente por isso tinha certa relutância em procurar uma consultoria. Não precisávamos de um produto de prateleira, e sim de um novo modelo de gestão de pessoas feito a partir de uma compreensão profunda de nossa cultura de marca.

A Visagio é uma consultoria carioca, nascida como empresa júnior na Universidade Federal do Rio de Janeiro (UFRJ). O Pedro Damasceno, meu sócio da Dynamo, recomendou que os escutássemos, e confesso que fui, ainda que a contragosto.

Eu estava errado!

O Eduardo e o Vítor, sócios da Visagio, não são consultores que aprenderam nos livros sobre como devem me ensinar a administrar o meu negócio. São empreendedores que em dez anos construíram uma multinacional brasileira. A Visagio possui um dos programas de estágio mais incríveis que já vi e é hoje feita por um bando de meninos(as) sedentos(as) por informação e transformação.

No final de 2016 fechamos negócio e o projeto se iniciou em janeiro do ano seguinte, belissimamente conduzido pela Carol Portella, nossa diretora geral da marca Reserva Mini. Não poderia haver melhor pessoa para explicá-lo:

Um Modelo de Gestão tradicional é normalmente entendido como a forma que as empresas se organizam e realizam o monitoramento dos seus indicadores, desdobrando-os até o dia a dia de trabalho de cada colaborador.

Através deste modelo, é possível orientar, colocar em prática e acompanhar as ações e decisões necessárias para gerir o negócio e atingir seus objetivos.

O Modelo de Gestão da Reserva foi desenhado não pelos quatro principais sócios e executivos da empresa. Nosso modelo foi praticamente lapidado por nossa principal liderança.

O primeiro passo do desenho de um Modelo de Gestão é a definição das diretrizes estratégicas da empresa: Propósito, Missão, Visão e Valores.

35 líderes passaram dias inteiros de entrega absoluta com um único objetivo: definir as diretrizes estratégicas da Reserva.

O que, para muitas empresas, é um processo extremamente racional e objetivo, para a Reserva é praticamente um exercício de reflexão profunda sobre quem somos.

Do nosso propósito e diretrizes nasceram os objetivos estratégicos da Reserva. Esses objetivos nascem da reflexão em relação às nossas forças, fraquezas, oportunidades e ameaças.

Os objetivos estratégicos foram desdobrados em iniciativas estratégicas, que em sua maioria são os projetos que realizaremos para alcançar nossas metas.

Uma vez desenhadas nossas diretrizes estratégicas, nossos objetivos estratégicos e nossas iniciativas estratégicas, nós definimos os indicadores organizacionais e individuais que serão monitorados para garantirmos que estamos no caminho certo.

O Modelo de Gestão também prevê uma reformulação da Avaliação de Desempenho Individual, combinando aspectos comportamentais relacionados diretamente à cultura Reserva, com os resultados obtidos nas entregas e monitorados por nossos indicadores.

A maior preocupação da nossa liderança não foi com o desafio de definirmos os indicadores e o formato do monitoramento deles. A preocupação sempre foi como o Modelo de Gestão se adequaria à nossa cultura, e nunca o contrário.

Para garantir a execução de todos os passos, o modelo prevê rotinas mensais de acompanhamento com as áreas, departamentos e com a diretoria.

Dentro desse contexto, o Modelo de Gestão da Reserva está inserido no Departamento de Fontes Humanas (o que o mercado normalmente chama de Recursos Humanos). Aqui acreditamos que são as pessoas as verdadeiras responsáveis pelo que somos, e é através delas que acompanharemos os nossos resultados.

O Modelo de Gestão da Reserva está baseado em "por que fazemos" e não em "o que fazemos". Para alguns pode parecer muito diferente, mas para nós é a única forma que sabemos fazer as coisas.

Sócios e gestores na abertura do projeto Modelo de Gestão: o futuro da Reserva construído a dezenas de mãos.

Com a palavra, Carolina Portella. Baixe o aplicativo QR CODE, aponte a câmera do seu celular para a imagem e assista ao vídeo.

FILOSOFIA FINANCEIRA

Quem ouve a história da Reserva provavelmente pensa que toda inovação deve ter tido um custo alto e que é mais um caso de uma empresa construída por *millennials* que fez um monte de coisas legais, mas que só deu prejuízo ao longo de sua história.

Nós fizemos a Reserva com pouquíssimo dinheiro. Aproximadamente R$ 100 mil, corrigidos. Fomos de R$ 0 a R$ 350 milhões sem dar prejuízo em nenhum de nossos dez anos de vida. Foi uma década de lucro, motivo de enorme orgulho para todos nós.

Na posição de CEO, minha maior angústia mora no fato de que a vida de milhares de pessoas depende da Reserva e, por isso, muito precocemente, tomamos importantes decisões estratégicas e operacionais para que a empresa tivesse boas práticas de gestão financeira.

O CAIXA MANDA

Boa parte do mercado de varejo é gerido com base em resultado financeiro.

Demonstrativos de resultados (DRES) permitem a uma companhia enxergar seu lucro ou prejuízo todos os meses. Entretanto, as empresas não levam em consideração a gestão do estoque de uma marca varejista, apenas o custo da mercadoria vendida.

Boa parte dos negócios quebra porque, empolgados com suas lucratividades, aumentam suas coberturas de estoques desmedidamente e acabam se endividando com os bancos ou fornecedores para poder pagar.

Jamais se pode confundir gestão do fluxo de caixa com gestão dos resultados de um negócio.

A crise que se iniciou em 2014 no país é um bom exemplo dos efeitos que isso pode causar. O crédito farto misturado ao estímulo ao consumo da "matriz econômica" da era do governo petista fez com que os negócios de varejo se expandissem rapidamente.

Quando, com a crise, o custo do financiamento aumentou e, ao mesmo tempo, as vendas despencaram, muitos varejistas quebraram.

Nós ficamos fora disso porque desde o começo optamos por gerir o Grupo também com base no caixa e não apenas nos resultados financeiros. Se estivéssemos gerando caixa, também estaríamos fazendo lucro. Uma visão conservadora, mas correta, a meu ver.

Para isso tomamos duas decisões. A primeira foi a de começar nosso negócio pelas multimarcas, com margem mais baixa, mas com produção sob demanda, o que geraria caixa. O atacado, em vez dos bancos, financiaria nossa expansão no varejo. A segunda foi a implantação de metas e reuniões semanais de caixa para acompanhamento do negócio como um todo e de seus estoques.

Costumo dizer que o Jayme Nigri, sócio e CFO do Grupo, previu as cinco últimas grandes guerras mundiais. O constante pessimismo dele sob o ponto de vista de caixa foi, sem dúvida, um dos mais importantes fatores de nossas boas práticas de gestão financeira.

ORÇAMENTO BASE ZERO "COM AMOR"

No terceiro ano da Reserva, contratamos o Marcos Loyola, o Marquinhos, para cuidar de nosso planejamento financeiro.

Caberia a ele a implantação do nosso primeiro orçamento anual. Na entrevista que fizemos com Marquinhos, perguntamos qual método usaria para isso, e ele nos respondeu que se inspiraria no orçamento base zero, da Ambev.

Se há uma coisa que aprendi sobre um negócio de moda é que as pessoas são movidas muito mais pelos sonhos, pela arte e pela criatividade do que pelo dinheiro.

A meritocracia, em negócios criativos, é fundamentalmente artística. Além disso, também aprendi que nesta nova era tudo muda muito rapidamente e que, por isso, uma ideia de hoje pode ser velha amanhã.

O orçamento, portanto, não pode engessar ou transformar a nossa Reserva num monstro corporativo. Por isso, em resposta à sugestão do Marquinhos, respondi:

— Aqui o "sonho não é grande", o sonho é bom e por consequência, não por causa, será grande. Aqui o orçamento será "base zero com amor".

E assim tem sido desde então. Todos os anos, em meados de outubro, começamos a montagem do orçamento do próximo ano e o anunciamos para a empresa em dezembro.

Quadrimestralmente, com base nas vendas – única variável não 100% controlável –, o orçamento passa por uma revisão.

O que posso dizer é que, com amor, até aqui sempre cortamos custos, jamais pessoas, e temos entregado mais do que o dobro da lucratividade média de mercado todos os anos.

Com a palavra,
Marcos Loyola.
Aponte a câmera do seu
celular para a imagem e
assista ao vídeo.

—

"NÃO SOMOS UMA EMPRESA GUIADA PELO FINANCEIRO. SE FÔSSEMOS, JÁ TÍNHAMOS QUEBRADO."

—

MARCOS LOYOLA

AS SEMENTES QUE PLANTAMOS

Este livro não nasceu com a pretensão de ser comercializado.

A ideia inicial era apenas a de que nele eu pudesse registrar minhas memórias sobre tudo aquilo que nos trouxe até aqui.

Justamente por isso o primeiro capítulo trata da minha vida pessoal, porque tudo está absolutamente conectado.

A mania de vender xampus para mim mesmo na frente do espelho, o hábito da leitura investigativa que minha mãe me ensinou nos tempos de colégio, a filantropia dos meus pais, meu casamento com a minha linda melhor amiga de infância, a história varejista do meu avô Benjamin ou a carreira de sucesso de meu pai – tudo, absolutamente tudo pelo que passei na vida, de uma forma ou de outra, está lá no coração da Reserva.

Meu propósito, a princípio, era que, uma vez terminado, daríamos o livro de presente para familiares, funcionários e parceiros da marca, e ponto final. Entretanto, quando o concluí, dois anos após começar a escrevê-lo, percebi que nele morava algo maior.

Este livro acabou sendo três em um: uma mistura de autobiografia com a história empreendedora da Reserva em sua primeira década e um projeto de esperança em termos de consciência socioambiental nos negócios.

O livro não conta apenas a história da Reserva, mas a história de um empreendedor que teve a sorte de descobrir muito cedo aquilo que amava fazer na vida.

Justamente por isso resolvi editá-lo e distribuí-lo para todo o país através de nossas lojas e de livrarias. Tenho certeza absoluta de que, neste exato momento, milhões de "Ronys" têm vontade de colocar seus sonhos de pé, mas não têm coragem, dinheiro ou apoio emocional para isso.

Este livro pretende ser um bom exemplo de que, quando um sonho é bom, nada impede que ele seja colocado de pé. Quero despertar nesses empreendedores a coragem para começar. Se o conselho é bom, o exemplo arrasta!

Após dez anos de muito trabalho e paixão pelo que fazemos, as pessoas nos perguntam aonde pretendemos chegar com a Reserva nos próximos dez anos.

Dizem que, na vida, devemos ter um filho, escrever um livro e plantar uma árvore.

Não sei aonde chegaremos, mas sei falar sobre as sementes que plantamos para o futuro.

INFLUENCIAR POSITIVAMENTE PESSOAS E EMPRESAS

A Reserva se tornou um modelo de como as empresas podem, sim, impulsionar reformas e transformar a sociedade para o bem.

De uma forma ou de outra, os indivíduos e as empresas causaram toda esta bagunça no mundo, e cumpre a todos nós consertá-la. Se o mundo não vai me escutar como indivíduo, talvez nos escute como uma empresa de mais de mil indivíduos.

—

"O RONY É UM PROFESSOR PARDAL DOS NEGÓCIOS. ELE CONSEGUE TRANSFORMAR QUALQUER IDEIA EM UM NEGÓCIO E TEM A CORAGEM DE FAZER ESSAS IDEIAS MEIO MALUCAS ACONTECEREM."

—

JOSÉ ALBERTO SILVA

Não podemos mudar a lógica de distribuição de renda nem acabar com a fome no Brasil, mas podemos fazer muito.

Através da Reserva podemos contar para as pessoas que 52 milhões de brasileiros não sabem se comerão hoje e que, por outro lado, produzimos no campo e na indústria 130% da necessidade para alimentar a todos. Podemos também, através da Reserva, lançar projetos como o Reserva 1P5P, que entrega aproximadamente 10 milhões de refeições por ano para quem tem fome em nosso país, sem nenhum benefício fiscal ou apoio governamental.

Não possuímos a coragem ou a capacidade técnica para sermos ativistas que lutam nas linhas de frente dos inúmeros problemas sociais de nosso país, mas podemos apoiar nossos heróis financeira e operacionalmente.

Por isso, através da Reserva, buscamos revolucionários e inspiradores ativistas como a Luciana Quintão (Banco de Alimentos), o Luti Guedes (Lute sem Fronteiras), o Edu Lyra (Gerando Falcões) ou o Wagner Gomes (ADEL), e não apenas financiamos como nos voluntariamos – em horário de trabalho – a atuar em suas revoluções socioambientais através do projeto Reserva Rebeldes com Causa.

Não podemos resolver o problema do desemprego e da geração de renda no país, mas podemos fazer muito quando optamos por trabalhar prioritariamente com a indústria nacional, gerando renda e emprego.

Não podemos limpar toda a sujeira feita pela indústria têxtil em nosso planeta, mas podemos fazer muito auditando toda a nossa cadeia de fornecimento, garantindo, assim, que limpamos toda a nossa sujeira.

Como dito pelo meu guru Yvon Chouinard, fundador da marca de roupas Patagonia, em seu livro *Lições de um empresário rebelde*:

"Quando uma empresa existe para vender muito e consequentemente ser vendida para outra empresa, suas propriedades são destruídas em busca do lucro a qualquer custo, e, por consequência, deteriora também as comunidades e o meio ambiente ao seu redor. Quando as instituições são descartáveis, todo o resto também se torna descartável.

Quando uma empresa não existe apenas para ser vendida, seus sócios e funcionários trabalham para que ela sobreviva muito mais tempo do que eles, e, portanto, passem a também se preocupar com o mundo onde ela estará no futuro. Tornam-se verdadeiros guardiões da cultura e dos valores daquela companhia. No mundo onde as pessoas estão cada vez mais esvaziadas de valores éticos fundamentais, uma empresa pode, sim, ajudar a preencher este vazio quando demonstra para todos que não apenas é humana o suficiente para compreender os problemas sociais ao seu redor, como principalmente é capaz de trabalhar para solucioná-los. Isto gera um sentimento enorme de pertencimento nas pessoas."

A Reserva jamais será socialmente responsável por completo, mas estamos totalmente empenhados em tentar fazer dela um bom exemplo a ser seguido por outras centenas de milhares de empresas.

Ao longo do tempo colecionamos e-mails e telefonemas de empresas de todos os tamanhos para nos contar suas histórias de transformação e agradecer por as termos inspirado. Além disso, recebo convites para contar nossa história em palestras de diversas empresas que buscam se inspirar e transformar.

Queremos inspirar outras empresas a nos copiarem em nossas iniciativas sociais para que, juntos, possamos transformar o Brasil num país melhor.

TECNOLOGIA COMO VALOR AGREGADO DE SERVIÇO

Certa vez o startse.com, site com conteúdo voltado para o empreendedorismo e o mundo das startups, chamou a Reserva de "*startup* da moda". Eu adorei! Acredito que acabamos nos transformando em uma empresa de tecnologia e comunicação que todos os dias "hackeia" o varejo de vestuário com o objetivo de melhor servir a seus consumidores.

Ao longo do tempo desenvolvemos e lançamos diversas tecnologias que nos permitem entregar aos nossos consumidores serviços inovadores: camisetas desenhadas na internet, estoques repostos automaticamente nas lojas, lojas físicas com venda na internet, o ReservaNOW (software de gestão do relacionamento com nossos consumidores), entre outras.

Com o crescimento do negócio, nosso time de tecnologia começou a ficar muito sobrecarregado operacionalmente e o nosso tempo de desenvolvimento de novas soluções – da ideia ao lançamento – começou a ficar muito longo.

Por isso criamos o "ReservaLabs", laboratório de desenvolvimento tecnológico capaz de prototipar e testar novas tecnologias em, no máximo, doze semanas. O foco inicial de nossa inovação está no desenvolvimento de algoritmos de inteligência artificial para gerar maior comodidade para nossos consumidores.

Muito em breve, por exemplo, nossos consumidores poderão fazer buscas em nosso site usando a voz ("Quero comprar uma camisa branca que seja mais justa e que tenha entrega com frete grátis") em vez de usar texto. Caso precise com urgência de uma peça de roupa – após, digamos, um acidente com uma taça de vinho... –, nossos clientes poderão, através de um aplicativo, comprar e receber o que precisam onde quer que estejam em, no máximo, uma hora, a apenas um clique de distância.

O "ReservaLabs" também funciona como uma aceleradora para empreendedores que estejam desenvolvendo soluções tecnológicas para o varejo.

Certamente muito do que for criado no "ReservaLabs" será testado na Reserva para posteriormente ir a mercado como um novo negócio.

INFORMAÇÃO COMO MATÉRIA-PRIMA

Organizações exponenciais, livro épico de Salim Ismail, Michael Malone e Youri van Geest, todos professores da Singularity University, comprova com exemplos práticos a tese de que "um ambiente baseado em informações proporciona oportunidades fundamentalmente disruptivas", porque "quando você muda para este ambiente, o ritmo de desenvolvimento entra em uma trajetória de crescimento exponencial e a relação preço/desempenho dobra a cada um ou dois anos".

Pense em Airbnb, Uber, Facebook e Amazon, por exemplo. Sem sequer possuir um quarto de hotel, um carro, conteúdo proprietário ou loja física, focam suas operações no entendimento e na organização dos dados gerados pelos negócios dos outros (quartos, carros e conteúdo) em vez de operar uma quantidade enorme de ativos proprietários de seus negócios (o que demandaria uma enorme estrutura organizacional e operacional).

Essas empresas são ecossistemas para a existência de outros milhões de negócios, e justamente por isso crescem exponencialmente.

Nós já tínhamos a matéria-prima: mais de um milhão de consumidores cadastrados com alto nível de qualidade e quantidade de informação, todo histórico do planejamento de compras/comercial também 100% no banco de dados e o mapeamento de toda a jornada do consumidor on-line e off-line.

◉ **COMPARTILHE ESTA IDEIA!**

—

"AS PESSOAS CONSEGUEM COPIAR O QUE VOCÊ JÁ FEZ, MAS NUNCA CONSEGUIRÃO COPIAR O QUE VOCÊ IRÁ FAZER."

—

DENNIS CROWLEY

@RESERVA

Faltava, portanto, um departamento que recorrentemente cruzasse e estudasse essas informações para gerar insights de melhoria em nossos produtos e serviços e para entender novas oportunidades de negócios.

Além disso, ao longo do tempo surgiram algumas centenas de milhares de tecnologias com a capacidade de gerar uma maior quantidade de dados para a tomada de decisão no varejo, como sensores de movimentação, câmeras inteligentes e chips de radiofrequência (RFID). Elas permitem que varejistas saibam quais são as regiões com maior e menor movimentação, quais produtos têm maior ou menor aceitação, quais as faixas etárias de seus consumidores e até em que estado de espírito eles se encontram.

No final de 2016, estruturamos o Departamento de Análise de Dados & Insights com o objetivo de aumentar a quantidade de pontos de coleta de dados e de transformar a nossa Reserva através dela.

TAMO JUNTO

Nossos consumidores hoje já participam em nosso planejamento comercial por meio de pequenos questionários que respondem on-line. Suas respostas servem para medir com antecedência o potencial de vendas de nossos produtos. Isto nos permite um planejamento mais acertado porque é montado com base no que eles, e não nós, achamos mais legal.

O "Faça Você" foi a primeira de várias iniciativas de colaboração com nossos consumidores.

Muito em breve lançaremos novas ferramentas que permitirão que eles não apenas criem camisetas como também todo o resto. Eles também poderão divulgar na internet e participar nos lucros das vendas de coleções criadas por eles.

VAREJO COMO TERCEIRO LUGAR

A Reserva não pretende ter pontos de vendas e sim pontos de encontro. Desde a primeira loja, em Ipanema, que era pequenina mas já contava com uma geladeira vintage vermelha cheia de cerveja gelada, o conceito estava lá. A venda sempre foi uma consequência de nosso bom relacionamento com os consumidores.

Com a recente migração de lojas pequenas para maiores, potencializamos este conceito através de parcerias estratégicas com negócios e serviços que possuem sinergia com os nossos. Hoje, 20% das nossas lojas já possuem barbearias, *coworkings* , cafés, espaço de customização de camisetas e até *lounge vip*.

PREFERIMOS O IMPOSSÍVEL

Se o conselho é bom, o exemplo arrasta.

Temos consciência de que, como empreendedores, acabamos nos transformando em um bom exemplo de que subverter as regras de mercado pode ser um excelente negócio, e de que, como negócio, a Reserva acabou se transformando em um bom exemplo de que o lucro ou o prejuízo de um empreendimento não deveria ser medido apenas financeiramente. Um negócio é muito melhor quando nele seus consumidores se sentem em casa. Por isso decidimos, todos os sócios, dividir através deste livro tudo o que até aqui aprendemos nesta nossa primeira década de vida. O sucesso deste livro não será para nós medido pela quantidade de exemplares que ele venderá, mas sim pela quantidade de pessoas que inspirará. Por isso, por favor, não deixe de me contar caso isso aconteça! Meus contatos estão aqui embaixo:

E-mail: ronymeisler@usereserva.com
Instagram: @rony
Facebook: fb.com/ronymeisler
LinkedIn: ronymeisler

Quando começamos a Reserva, fomos desencorajados e muitas vezes até humilhados por muitas pessoas quando falávamos sobre os nossos sonhos.

Elas foram solenemente ignoradas. Preferimos pensar que quando muita gente crê que uma coisa é impossível de ser feita, poucos tentarão fazê-la, e logicamente a concorrência será menor. E é aí que vamos lá e fazemos!

Portanto, hoje, após dez anos de vida e muitas peças de roupas vendidas, deixo-os com a frase mais inspiradora que nos disseram quando começamos a Reserva:

"Vocês são malucos! Homem não compra roupa..."

VAMO QUE VAMO, PORRA!

CAPÍTULO BÔNUS

Era dia 15.1.2009. O avião da US Airways pilotado pelo comandante Chesley "Sully" Sullenberger havia acabado de decolar do aeroporto de LaGuardia, em Nova York, e voava rápido a 980 metros de altura com 155 passageiros a bordo.

Tudo corria bem quando de repente, BUM!, o avião é impactado por um bando de pássaros que destrói suas duas turbinas e deixa o avião em completa pane elétrica.

A torre de comando sugere que o comandante retorne, plainando o avião, para o aeroporto de LaGuardia ou para um aeroporto menor, de Tenderboro, em Nova Jersey.

Guiado pela sua experiência e intuição, Sully ignora os conselhos e decide pousar o avião no Rio Hudson, pois concluiu que caso contrário o avião cairia em meio à zona urbana de Manhattan e causaria uma tragédia ainda maior.

Ele não apenas consegue com maestria pousar o avião no rio como o tira dele, em excelentes condições e com vida, seus 155 tripulantes.

Corta!

Era dia 13.3.2020

O Grupo Reserva voava alto no mercado nacional. Os planos de voo eram ambiciosos. A digitalidade nos permitiu escalar o propósito da marca a nível nacional. Seria um ano de expansão acelerada e cogitávamos a abertura de nosso capital entre 2020-2021.

De repente, BUM!, sentimos o impacto de aves batendo em cada uma de nossas turbinas. O nome delas? Covid-19.

Testamos todos os aparelhos e nada respondia. O avião voava como um pássaro, sem força elétrica.

Foram muitos os conselhos recebidos do mercado: "Faça descontos agressivos para fazer caixa.", "Não se preocupe com seus fornecedores.", "Não dê descontos/prazos para seus clientes multimarcas.", "Demita a maior quantidade de pessoas possível." etc. Aquele era o playbook clássico a ser seguido em uma crise como esta.

Optamos por ignorar o caminho mais fácil e focamos naquilo que conhecemos e acreditamos: nossa cultura e nossas pessoas. Ao invés de seguir o playbook de mercado, entramos concomitantemente no MODO SOBREVIVÊNCIA e no MODO REINVENÇÃO.

MODO SOBREVIVÊNCIA

Ainda no dia 13 decidimos fechar todas as nossas lojas e sede e nos certificamos de que todos estivessem bem e com saúde.

A nossa única unidade de negócios que permaneceu aberta foi o Reserva Entregas, nosso centro de distribuição. Era de lá que operaríamos 100% de nossas vendas digitais. Em menos de 24 horas já operávamos em nossos mais de 9 mil metros quadrados seguindo todos os protocolos determinados pela OMS.

Em momentos como esse uma empresa sobrevive caso cuide de três coisas: pessoas, caixa e vendas.

PESSOAS

Com nossa turma em segurança trabalhando de casa, criamos um encontro rotineiro de comunicação quinzenal com todos: sede, CD e lojas através de livestreams. A ele demos o nome de VAMOQUEVAMO.

CAIXA

Nos impusemos uma meta diária de uso do caixa e trabalhamos diariamente para batê-la através de uma reunião de caixa diária.

Além disso, criamos uma força-tarefa para entrar em contato com nossos mais de cem fornecedores e com muita transparência e olho no olho por vídeo-chamadas explicamos que precisávamos negociar títulos e estender prazos de pagamento. Fizemos o mesmo com nossos mais de 1.500 clientes multimarcas e franquias.

Fato relevante: 95% dos nossos fornecedores são brasileiros e prioritariamente os escolhemos (e não os asiáticos) para que, em nosso país, gerássemos renda e emprego. Estejam certos de que essa foi uma das melhores decisões que tomamos na vida.

Como falado neste livro, a Reserva sempre foi uma companhia pouquíssimo alavancada em termos financeiros. Nossa dívida líquida sempre foi baixa e fomos geradores de caixa para o nosso próprio crescimento.

Quando veio a pandemia a fortaleza virou fraqueza. Não tínhamos caixa para mais do que três meses. O Daniel Bassan, hoje CEO do UBS BB e amigo de infância, nos auxiliou para que buscássemos a linha de crédito que salvou o nosso negócio. Mal sabíamos que alguns dias depois faríamos juntos o maior negócio de nossas vidas.

VENDAS

Em meio a pandemia teríamos pouco tempo para nos adaptar ao home office e para nós era óbvio que precisávamos eliminar as poucas barreiras que ainda haviam entre a gestão das marcas do grupo no on e no off-line.

Portanto decidimos facilitar a comunicação entre canais e marcas através de uma reunião de vendas diária. Nela analisamos as vendas do dia anterior e determinamos planos de metas e campanhas para a semana. Todos saem dela empoderados e munidos de informação para a execução da venda projetada.

Estávamos prontos para a guerra.

MODO REINVENÇÃO

As empresas que sobreviverão à covid-19 serão aquelas que além do modo sobrevivência também entraram no modo reinvenção, entendendo para onde o seu mercado vai, alinhando a visão e o interesse de todos e pilotando inovações que levem os negócios para lá.

Quando os tempos mudam, o comportamento dos(as) consumidores(as) muda, e, por consequência, os negócios que não mudarem, tendem a desaparecer em meio a este tsunami pandêmico.

Não é a primeira vez que um fato novo surge e coloca em risco (para o bem e para o mal) a existência de milhões de negócios. O Onze de Setembro, a invenção da penicilina, o carro, a internet, o streaming, as duas grandes guerras e o e-commerce, além do Coronavírus, são alguns exemplos.

As pessoas acham que a culpa da Blockbuster ter desaparecido é da Netflix. Isso não é verdade. A Blockbuster desapareceu porque se colocou na zona de conforto, demorando a compreender que o streaming mudaria o seu negócio e o mundo para sempre. Inclusive, por mais de uma vez a Blockbuster se negou a comprar a Netflix dizendo "não acreditar naquele modelo de negócios".

No nosso mercado, varejo de vestuário, certamente haverá o mundo pré e pós-covid-19. E destaco aqui dois bons exemplos do que acredito que mudará após o coronavírus:

PRIMEIRO EXEMPLO

Por conta desta crise, milhões de brasileiros estão aprendendo a consumir na internet. Por isso, a jornada do consumidor, que já vinha se transformando digitalmente, acelerará nessa direção. De "vi na televisão/jornal e fui na loja comprar" para "vários(as) amigos(as) falaram sobre o produto no Instagram, fui pesquisar no Google, entrei no site, pesquisei, fui na loja experimentar e decidi comprar (na loja ou na internet)".

Neste novo mundo nós precisaremos cada vez mais nos fazer presentes a cada uma dessas novas etapas da jornada de consumo.

A Reserva é uma marca digital com pontos de vendas físicos e calorosos. Nossa missão é a de usar a moda e a tecnologia para aumentar a autoestima das pessoas.

Uma vez que a pandemia nos acelerou em direção ao futuro, sob o ponto de vista da "digitalidade" este tsunami nos pegou em cima da árvore. Por isso, ao invés de seguir o playbook do mercado, nossa gente talentosa lançou diversas inovações que alavancaram as vendas, e, além disso, nos aproximaram ainda mais da nova jornada de nossos (as) consumidores (as).

1. Ao invés de descontos agressivos, apostamos em nosso relacionamento com nossos consumidores. Em 24 horas todos os nossos times de vendas trabalhavam de suas casas através do NOW, nossa tecnologia de relacionamento com consumidores baseada em Inteligência Artificial.

2. Criamos um programa de estímulo à nossa plataforma de afiliados e social selling para que todos os nossos funcionários,

influenciadores e parceiros estratégicos como franqueados e lojistas multimarcas vendessem com facilidade na internet.

3. Operamos nossas lojas como centros de distribuição avançada, fazendo com que o produto chegasse mais rapidamente aos nossos consumidores.

4. Criamos uma programação diária de *livestreams* com foco em conteúdo de empreendedorismo e bem-estar. Através dos bons exemplos de convidados amigos(as) da marca, elevamos a autoestima de mais de 200 mil espectadores apenas nos dois primeiros meses da quarentena.

5. Construímos mais de duzentas lojas digitais para nossos parceiros multimarcas.

6. O FolhaEmBranco™, nosso laboratório de tecnologia têxtil, se uniu à indústria e à comunidade científica para desenvolvimento de nossa máscara de proteção que, além de inativar o coronavírus, é antiodor, resistente à água e biodegradável. As máscaras são vendidas a R$ 24 e não temos lucro. Até aqui já foram mais de 100 mil máscaras vendidas através de nosso site.

Fazer o certo dá certo. Nossas iniciativas surtiram efeito a ponto de fazerem com que entre julho e agosto de 2020 atingíssemos o mesmo patamar da venda de 2019, e que de setembro a dezembro crescêssemos mais de 20%.

SEGUNDO EXEMPLO

A covid-19 e suas consequências socioambientais certamente humanizarão a decisão de compra dos consumidores.

Cada vez mais, consumidores(as) escolherão marcas verdadeiramente responsáveis sócio-ambientalmente.

Nós somos o único grupo de moda brasileiro considerado uma B Corporation, certificado global que garante que seguimos os mais altos padrões internacionais no que diz respeito às nossas políticas de responsabilidade social e ambiental.

Apenas durante a pandemia foram mais de 4 milhões de refeições complementadas por nós através do nosso projeto Reserva 1p5p.

Se você me perguntar quais foram as três melhores decisões que tomamos ao longo de nossos 14 anos de vida eu responderei sem titubear: programa de notáveis, programa de notáveis e programa de notáveis. Através dele transformamos em sócios(as) aqueles(as) que realmente fazem a diferença na Reserva.

É em uma pandemia como esta que os(as) verdadeiros(as) donos(as) aparecem e é justíssimo que sejam reconhecidos(as) como tal. Antes da pandemia tínhamos 15 sócios(as), hoje temos 27.

Se a média das empresas possui 2-4-6 olhos de donos(as), aqui no grupo temos 54. Gente completamente apaixonada pela marca e empreendedora que fez, faz e fará de seus sonhos os nossos sonhos.

No dia 13 de março de 2020 todos nós, juntos e unidos, decidimos pegar no manche de nosso avião em pane elétrica com mais de 1.600 pessoas a bordo e usar aquilo que de mais forte possuímos, nossa cultura, para com saúde e suavidade pousar no Rio Hudson.

Estávamos bem, vivos, mais fortes do que nunca e, principalmente, de volta para o futuro.

#FOGUETENÃODÁRÉ

Havíamos pousado nossa nave no Hudson, desembarcamos vivos e a partir daquele momento adotamos o bordão #FogueteNãoDáRé. Aproveitando as oportunidades que comumente surgem após as grandes crises e agora ainda mais resilientes recomeçaríamos com tudo a nossa expansão de mercado.

Em abril de 2020, em meio a pandemia, o Alexandre Birman, amigo de longa data e CEO da Arezzo&Co, me procurou propondo uma parceria de crossell entre nossas marcas. No dia das mães, em maio, a Reserva venderia Schutz (marca da Arezzo&Co) para sua base de clientes e no dia dos pais, em Agosto, a Schutz venderia Reserva para a sua base de clientes. Juntamos os times e a parceria foi um sucesso comercial.

O Cristiano Guimarães, meu amigo e do Alexandre, do Itaú BBA, soube da parceria e ligou tanto para mim como para o Alexandre com uma provocação: "Por que a Reserva não se junta com a Arezzo&Co para criarem uma incrível plataforma de marcas de moda brasileira?".

O Grupo Reserva passaria a ser o braço de vestuário e lifestyle da Arezzo&Co com independência para acelerar a expansão das marcas atuais e consolidar novas marcas de vestuário. Seguiríamos com a nossa sede no Rio e fazendo o que sempre fizemos de bom.

Sempre fomos muito fãs do trabalho do Alexandre e do Anderson Birman e do modelo de negócios que construíram na Arezzo&Co. Para nós seria uma honra juntos construirmos o futuro da moda nacional.

Se separados éramos fortes tínhamos certeza de que juntos seríamos indestrutíveis. Ambos gostamos da ideia e começamos a conversar a respeito. O Itaú BBA fez o advisory da Arezzo&Co e eu convidei o Daniel Bassan, do UBS BB, aquele que havia nos salvado no início da pandemia, para nos representar nas conversas.

Foram meses de muitas conversas e negociação, mas um episódio foi bastante relevante no processo decisório; a visita à sede da Arezzo&Co em Campo Bom, no Rio Grande do Sul. Lá conhecemos uma Arezzo que nos inspirou muito; uma Arezzo feita à mão no Brasil por um time completamente apaixonado pela construção do produto perfeito para encantar suas consumidoras.

A sede de Campo Bom é um dos melhores exemplos que já vi do encontro da engenharia com o design. Voltamos de lá muito bem impressionados com a cultura e com as pessoas e certos de que nossas empresas possuíam características muito complementares.

Em 2005 vendíamos bermudas de porta em porta. Em 2019 já éramos um dos grupos de moda mais relevantes do mercado brasileiro com 5 marcas, mais de 100 lojas, 750 mil clientes ativos e, principalmente, empreendido por 1.500 loucos(as) apaixonados(as) pelo nosso negócio.

E então, em 23 de outubro de 2020, o namoro com a Arezzo&Co virou casamento. A fusão da Reserva com a Arezzo&Co fez nascer um baita de um grupo de marcas desejadas e produzidas prioritariamente no nosso país (mais de 95% da produção); 13 marcas feitas por 3.500 maravilhosos(as) seres humanos vendidas através de 128 lojas próprias, 723 franquias, 7.523 multimarcas e com uma base ativa de mais de 10 milhões de clientes.

Uma casa formadora de gente boa e empreendedora e, por consequência, também a melhor e maior plataforma de marcas de moda do nosso país, com mais de R$8 bilhões de valor de mercado.

Nosso grupo de marcas nunca havia recebido um nome formal, acabou se tornando Grupo Reserva mais pela lógica do que pela estratégia. Por isso, aproveitamos a oportunidade para dar um novo nome ao nosso grupo de marcas: Ar&Co. A de Arezzo, R de Reserva. E Co de todas as outras marcas que compõem e comporão o nosso ecossistema.

Em 10 anos, acreditem, olharemos para trás e teremos certeza absoluta de que construímos uma plataforma de marcas de vestuário e lifestyle brasileiras com prestígio global e das quais todos(as) os(as) brasileiros(as) terão orgulho de que sejam brasileiras.

No dia do closing do negócio, 04.12.2020, eu mandei a carta abaixo para toda a AR&Co.

PAPO RETO

__Sonhar bom E grande é excelente. ("E" e não "ou").

__Mentir é uma merda.

__Ser 100% transparente é excelente.

__Ser determinado(a) é excelente.

__Trabalhar todos os dias como se fossem o dia 1 é excelente.

__Zona de conforto é uma merda.

__Ser humano é excelente.

__Ser preconceituoso(a) é uma merda.

__Querer levar o mérito sozinho é uma merda.

__Colaborar entre times, canais e marcas é excelente.

__Ser rude com os outros é uma merda.

__Se colocar no lugar do outro é excelente.

__Ter a cabeça aberta para a mudança é excelente.

__Ser cabeça dura é uma merda.

__Bater metas é excelente.

__Focar em nossos gostos pessoais é uma merda. Focar em conhecer o(a) consumidor(a) e em sua jornada de vida e consumo é excelente.

__"Impossível" é uma merda.

__Viver pelo propósito de cuidar, emocionar e surpreender as pessoas todos os dias é excelente.

__Viver pelo dinheiro é uma merda.

__Ser líder de um time é excelente, ser fominha é uma merda.

__Juventude de espírito é excelente.

__Educação é excelente.

__Inovação, quando resolve problemas de colaboradores, consumidores e comunidades é excelente.

__Errar quando é caminho pra acertar é excelente.

__Insistir em erro é uma merda.

__Vender para os(as) outros(as) o que não compraríamos/criariamos para nós é uma merda.

__Não ser apaixonado pela loja e não frequentá-la fielmente é uma merda.

__Consciência sócio ambiental como modelo de negócios é excelente.

__Não se identificar / praticar os valores e cultura do negócio é uma merda.

__Obsessão pelo cliente é excelente.

__Obsessão pelo concorrente é uma merda.

__Tratar as finanças da cia com menor responsabilidade do que como tratamos em nossas casas é uma merda.

__Contratar gente sem fit cultural com nosso negócio é uma merda.

__Empoderar os(as) outros é excelente.

__Liderar pelo exemplo é excelente.

__Não dar feedback recorrente é uma merda.

__Produtos inovadores, com excelente design e comerciais são excelentes. "E" e não "Ou".

__Tomar risco é excelente.

__Convicção é excelente.

__Jogar para a plateia é uma merda.

__Hipocrisia é uma merda.

__Autenticidade é excelente.

__Unanimidade é impossível.

__Bom design é excelente. Design ruim é uma merda.

__Loja impecavelmente arrumada e cheirosa é excelente. Loja desarrumada e sem nosso cheirinho é uma merda.

__Foco é excelente.

__Crescer profissionalmente é excelente.

__Ser mercenário(a) é uma merda.

__Empatia é excelente.

__Empreender na empresa é excelente. Fazer negócios fora dela estando dentro dela é uma merda.

__Admirar a empresa para a qual trabalhamos é excelente. Estar infeliz dentro dela é uma merda.

__Ser um(a)u missionário(a) de valores e coisas na empresa é excelente.

__Testar ideias rápido é excelente.

__Corporativismo é uma merda. Desburocratizar os processos é excelente.

__Puxasaquice é uma merda. Pragmatismo é excelente.

__Entregar experiências de marca acima das expectativas dos clientes é excelente.

Tratá-lo com descaso ou com lentidão de resposta é uma merda.

__Meias verdades são mentiras. Mentiras são uma merda.

__Excelente é excelente. Mais ou menos é uma merda.

Na sexta-feira, 4.12, selamos formalmente a parceria com a Arezzo&co e amanhã, segunda-feira, absolutamente nada muda. Exceto no nome do nosso grupo:

AR&Co.

Já temos um foguete a caminho da lua e, vcs sabem, #FogueteNãoDáRé.

Em caso de dúvida no caminho para saber se estamos ou não alinhados com a empresa e com a vida leia o "papo reto", nossas tábuas da lei.

Fomos, Somos e .
Seremos todos nós, juntos, AR&Co!

Que venha the fuckin christmas.
Vqvvv, porrrraaaaaaaaaa!!!
Rony

Enviamos também um saquinho com 18 balas juquinha e uma carinha (☺) para os mais de 2.500 colaboradores da AR&Co.

Eu com Alexandre no dia da comunicação da parceria. Se separados éramos fortes, juntos somos indestrutíveis.

Rafael Sachete, Cassiano Lemos, Aline Penna, Jayme Nigri, Alexandre Birman, Rony Meisler, Milena Penteado, José Alberto Silva, Luciana Wodzik, Maurício Bastos e Fernando Sigal no dia do anúncio do nascimento da AR&CO.

Anderson Birman, Alexandre Birman e Rony Meisler na B3, sede da Bolsa de Valores de São Paulo, no aniversário de 10 anos de abertura de capital da Arezzo&Co.

361

DEPOIS DA LEITURA, NADA COMO UMA BOA PRÁTICA!

De Propósito®

O JEITO **RESERVA** DE ENCANTAR CLIENTES

No primeiro curso da história da marca, Rony ensina na prática, e em detalhes, os bastidores e frameworks que a Reserva utiliza para se diferenciar no mercado e entregar um propósito verdadeiro. A jornada é dividida em 5 módulos com ferramentas aplicáveis em qualquer negócio que deseje criar uma experiência de consumo única e encantadora.

E você, leitor do Rebeldes têm asas que chegou até aqui poderá ter acesso vitalício e bônus exclusivos na compra do curso!

Escaneie o QR Code abaixo e descubra como fazer a sua matrícula!

MUITO OBRIGADO!

Para minha Anny, com quem faço absolutamente tudo desde os 15 anos. Não houve uma alegria, tristeza, alívio ou decepção que não tenhamos dividido. Não houve nem sequer uma vitória pela qual não tenhamos sido responsáveis juntos. Minha alma gêmea e aquela que me deu de presente a vida: Nick, Tom e Chiara.

Para meus filhos Nick, Tom e Chiara. Do momento em que abro os olhos de manhã até fechá-los para dormir, é pensando neles que tudo realizo. São a razão da minha vontade de construção de um mundo melhor no qual eles viverão, da minha eficiência que me permite voltar mais cedo para casa e da minha ambição para que tenham orgulho do pai deles.

Para o meu pai, Luiz, minha mãe, Diana, e meu irmão Deco. Deles também tiro minhas asas para voar e minhas raízes, porque me ensinaram que eu sempre terei para onde voltar. Veio deles a minha cultura, o meu amor e o meu barulho. Veio deles a minha coragem, porque jamais faltou estímulo para a realização de todos os meus sonhos. Foram eles que primeiro apostaram em nós, antes de nós mesmos.

Para o Nandão, por ter sonhado e apostado na Reserva comigo. Por ser amigo-sócio-irmão. Por ter me dado liberdade e segurança para que, na Reserva, eu realizasse todas as minhas vontades. Por ser o exemplo vivo de que existe algo muito maior do que nós.

Para o Jayminho, por ser meus pés quando precisam tocar no chão. Por ser meu amado irmão da vida toda. Por ter abandonado o Direito para nos ajudar a mudar tudo. Por nos fazer mais fortes pela precaução. Por ser aquele que melhor sabe me contrariar. E por ter sempre tantas cartas na manga.

Para o Zé, por nos ter provado que somos uma empresa de tecnologia e logística, por ser o sócio mais avançado de idade e mais jovem de espírito, por se negar a não investir em suas intuições, pelo seu exemplo através da humildade e por ser uma das melhores pessoas que já conheci na vida.

Para os sócios Notáveis: Ju Almeida, Fabinho, Claudinha, Barbalho, Claudinho, Nai, Marquinhos, Pedrão, Camila, Omena, Carol, Deco, Ana, Carol Werlang, Rodrigo, Chris, Let, Leite, Perseke, Riguel, Wanick, Ronaldo, Vivi, Nandinho, Arruda, Ju Perez e Ianzinho.

Para todos os nossos funcionários, passados e presentes. Para nossos fornecedores, principalmente aqueles que em nós apostaram desde o começo da marca. E, principalmente, para todos os nossos consumidores.

É para sermos amigos deles que a Reserva existe.

E para nossos novos e queridos sócios, Anderson e Alexandre Birman, por terem tido a coragem de imaginar e investir na construção do melhor e, por consequência, maior grupo de marcas brasileiras.

CRÉDITO DAS IMAGENS

Imagem de capa e
pp. 366 e 367: Daniel Mattar
pp. 24 (foto 2) e 29: Ribas
p. 64: Antonio Kämpffe
pp. 65, 107 (fotos 1 e 2), 215
e 223: I Hate Flash
pp. 86, 87, 116, 118 (foto 1), 120,
e 246 (foto 1): Marcelo Omena
pp. 88, 89, 94, 125, 169, 171, 172
(foto 1), 173 (foto 1) e 303 (foto 3):
Patrick Sister
p. 92: Mauricio Nahas
pp. 108 (fotos 1 e 2), 111 (fotos
1 e 2 à esquerda), 113 (foto 3):
Tomás Rangel
p. 111 (foto 1 à direita): Gustavo
Marial
pp. 118 (foto 2) e 300 (foto 2):
Fred Othero
p. 119: Pedro Meyer
pp. 122 e 126: Rodrigo Bueno
p.156: Oficina e Reserva Go:
Gui Leporace, Reserva
Downtown: Thiago Petrik
p.157, 281 e 282: Pedro Parreira
p. 172 (foto 2 e 3): Philippe
Machado
pp. 178, 199, 213 (foto 1), 214,
220 e 221: Daniel Mattar
pp. 187 (Rony idoso) e 321: João
Vitor Gomes
pp. 188 e 194: Raphael Amaral

pp. 190 (foto 1) e 191: Caio
Fontes e Lucas Avilez
pp. 190 (foto 2) e 326:
Gama Filmes
pp. 210 (foto 1 e 3), 211, 212 e
275: Fernando Young
(foto 2): Leonardo Graf
p. 210 (foto 2): Jorge Bispo
p. 213 (foto 2): Renan Viana
p. 216: Renan Oliveira
p. 217: Derek Mangabeira
pp. 218, 219, 226, 227 e 229:
Bruno Machado
pp. 222, 247, e 305: Gui
Leporace
pp. 225, 278 e 279: Leandro
Tumenas
pp. 238, 239, 240, 241, 242, 243,
244 e 245: Márcio Madeira
p. 260 (foto 1): Pedro Kirilos/
Agência O Globo
p. 260 (foto 2): Rodrigo Curi/
Carlos Denisieski
pp. 263: JR Duran
p. 276: AFP
p. 290: André Nazaret
p. 297: Yuri Sardenberg
p. 303 (foto 2 à esquerda):
Adriana Omena
p. 309: Noam Galai/
WireImage
pp. 360, 361: Lu Prezia

DIRETORA
Rosely Boschini

GERÊNCIA EDITORIAL
Carolina Rocha

COORDENAÇÃO EDITORIAL
Adriana Omena

ASSISTÊNCIA EDITORIAL
Marcelo Dias
Audrya de Oliveira
Giulia Molina

CONTROLE DE PRODUÇÃO
Fabio Esteves

PREPARAÇÃO
Fábio Bonillo

PROJETO GRÁFICO E CAPA
Bloco Gráfico

ASSISTÊNCIA DE DESIGN
Stephanie Y. Shu

PESQUISA DE IMAGEM
Adriana Omena

FOTO DE CAPA
Daniel Mattar

TRATAMENTO DE IMAGEM
Ademir Moreira

REVISÃO
Andréa Bruno
Amanda Oliveira

Todos os esforços foram feitos para a obtenção das autorizações das imagens reproduzidas neste livro.

Copyright © 2021
by Rony Meisler e Sergio Pugliese
Todos os direitos desta edição são reservados à Editora Gente.
Rua Original, 141, Sumarezinho
São Paulo-SP CEP 05435-050
Telefone: (11) 3670-2500
Site: http://www.editoragente.com.br
E-mail: gente@editoragente.com.br

Dados Internacionais de Catalogação na Publicação (CIP)
Angélica Ilacqua CRB-8/7057

Meisler, Rony
Rebeldes têm Asas: eles ignoraram as regras e fizeram da Reserva uma das marcas mais inovadoras do mundo segundo a revista Fast Company/ Rony Meisler, Sérgio Pugliese; prefácio de Luiza Helena Trajano. São Paulo: Editora Gente, 2021.
368 p.

ISBN 978-65-5544-028-7

1. Empreendedorismo 2. Sucesso nos negócios I. Título II. Pugliese, Sérgio III. Trajano, Luiza Helena

20-2630   CDD 650.1

Índice para catálogo sistemático:
1. Sucesso nos negócios

Esse livro foi impresso em papel pólen soft 80 g/m²
pela Gráfica Piffer em agosto de 2021.